Lidia Amejko *Żywoty świętych osiedlowych*
Dawid Bieńkowski *Nic*
Dawid Bieńkowski *Biało-czerwony*
Jacek Dehnel *Lala*
Jacek Dehnel *Rynek w Smyrnie*
Izabela Filipiak *Magiczne oko. Opowiadania zebrane*
Manuela Gretkowska *My zdies' emigranty*
Manuela Gretkowska *Kabaret metafizyczny*
Manuela Gretkowska *Tarot paryski*
Manuela Gretkowska *Podręcznik do ludzi*
Manuela Gretkowska *Namiętnik*
Henryk Grynberg *Drohobycz, Drohobycz*
Mariusz Grzebalski *Człowiek, który biegnie przez las*
Marek Kochan *Plac zabaw*
Włodzimierz Kowalewski *Światło i lęk*
Włodzimierz Kowalewski *Excentrycy*
Wojciech Kuczok *Gnój*
Wojciech Kuczok *Widmokrąg*
Wojciech Kuczok *Opowieści przebrane*
Marian Marzyński *Sennik polsko-żydowski*
Jarosław Maślanek *Haszyszopenki*
Tomasz Piątek *Pałac Ostrogskich*
Janusz Rudnicki *Mój Wehrmacht*
Janusz Rudnicki *Chodźcie, idziemy*
Sławomir Shuty *Zwał*
Sławomir Shuty *Cukier w normie z ekstrabonusem*
Sławomir Shuty *Ruchy*
Mariusz Sieniewicz *Czwarte niebo*
Mariusz Sieniewicz *Żydówek nie obsługujemy*
Mariusz Sieniewicz *Rebelia*
Marek Soból *Mojry*
Jerzy Sosnowski *Prąd zatokowy*
Wojciech Stamm *Czarna Matka*
Magdalena Tulli *W czerwieni*
Magdalena Tulli *Sny i kamienie*
Magdalena Tulli *Tryby*
Magdalena Tulli *Skaza*
Witold Wedecki *Czarne rondo*

WOJCIECH KUCZOK

senność

Copyright © by Wydawnictwo W.A.B., 2008
Wydanie I
Warszawa 2008

1

Adam jest zmęczony, wciąż niewiele miejsc się zwalnia, ludzie cuchną słodko-kwaśnym potem, wchodzą i wychodzą, Adam usiadłby, ale wie, że wymiana staruszek na przystankach nie pozwoli mu przysiąść na dłuższą chwilę w spokoju, będzie musiał ustąpić miejsca albo udawać, że zasnął, wysłuchiwać pochrząkiwań, stękań, westchnień, litanii do Jezusa Marii Boga Świętego, więc woli poczekać, aż autobus wyjedzie za miasto, może sobie jeszcze trochę postać, och, dzisiaj może się jeszcze pomęczyć, dziś wiele by zniósł w związku z tym, co wreszcie się udało definitywnie zakończyć, dopełnić, usankcjonować: Adam przed godziną przestał być studentem. Niby nic, formalność, a jednak wzruszył się wagą tak zwanej chwili historycznej; gdybyż życie składało się wyłącznie z takich formalności, gdybyż wzruszenie towarzyszące tak zwanym chwilom historycznym znane było wszystkim ludziom, myśli Adam, świat byłby przyjazny, być może nawet nieznośnie przyjazny, być może nawet tłumy rozanielonych permanentnym wzruszeniem ludzi zadusiłyby się w przyjaznym uścisku, tymczasem jednak Adam czuje się z siebie zadowolony, przestał być studentem, a razem z nim tego dnia zdało egzamin jeszcze kilkanaście osób z roku, Adam przyszedł dość późno, żeby nie czekać godzinami, nie denerwować się, poza tym wolał być sam, wszedł, zdał, i przyjął gratulacje. Jeden z profesorów, ten, który miał na niego oko przez całe studia (nie było to oko przyjazne), ścisnął mu dłoń nieco mocniej niż inni, ściskał ją też nieco dłużej, właściwie to wyraźnie dłużej, na tyle długo, by Adam poczuł się zmieszany, zawstydzony, profesor ściskał tak długo, aż Adam się spłonił, zarumienił, wtedy profesor, ten, co łypał na niego nieprzyjaznym okiem przez całe studia, zapytał (ale tak jakby na stronie, w kierunku profesorów): „A co pan taki nieśmiały?", i wciąż nie przestając mu dłoni ściskać, niby gratulacyjnie (Adam czuł, że to uścisk wrogi, natrętny, zbyt silny), dodał: „Więcej śmiałości, drogi panie, będzie pan teraz leczył ludzi, nie może pan być taki płochliwy", i zachichotał w stronę profesorów, wymuszając i na nich chichot, i wciąż jeszcze trzymając dłoń Adama, czując nad nim władzę, bo Adam nie bardzo miał pomysł, jak się wyswobodzić, profesor mrugnął tym swoim okiem od wielu lat mającym nieprzyjazne baczenie, mrugnął do Adama tak obleśnie, tak wulgarnie, tak antyporozumiewawczo, że Adam, mdłości powstrzymując, wyszarpnął dłoń niezgrabnie, aż komisji chichot zamarł na ustach. Adam, wyswobodziwszy się od dłoni, oka i chichotu, ukłonił się i wyszedł, i z każdym kolejnym krokiem czuł silniejsze zadowolenie, wszak wszystko dobiegło końca, po raz ostatni wróci z Akademii autobusem do domu, po raz pierwszy będzie nim jechał jako dyplomowany naprawiacz ciał, a ściślej mówiąc, kości, oto więc pozo-stając w cudownej aurze namaszczenia, uwiesił się na uchwycie i czeka cierpliwie, aż autobus wyjedzie za mia-sto. Adam śmiało spoziera na pasażerów, czując, że jego nastrój uwznioślony udzielić się może temu i owemu, czuje, że spoglądając na ludzi śmiało, pewnie i wzniośle (choć nie wyniośle), panuje nad ich spojrzeniami, po-strzegając ich z perspektywy człowieka śmiałego, pew-nego i uwznioślonego, włada ich postrzeganiem; Adam rozważa, na ile taka sugestia jest trwała, rozmyśla, o ileż łatwiej jest żyć ludziom, którzy zachowują pełnię kon-troli nad tak zwanym pierwszym wrażeniem, o ile lżej jest żyć ludziom, którzy robią dobre wrażenie, odwza-jemniają spojrzenia, uśmiechy, głowę trzymają lekko za-dartą do góry, podbródek wysoko, odważnie, wzniośle (choć nie wyniośle); lecz oto do autobusu wchodzi chło-piec, a nawet mężczyzna.

Ładny, a nawet przystojny chłopiec, a nawet męż-czyzna siada pod oknem, ot tak sobie, bezrefleksyjnie, zdrowo, normalnie siada, chociaż wciąż jeszcze wy-miana staruszek i niewiele miejsc wolnych, on w chło-pięcym swym roztargnieniu, a nawet męskiej bezpar-donowości klapie na siedzenie, jeszcze swoje klapnię-cie wzmacniając westchnieniem, jak to mu dobrze się zasiadło, jaka to rozkosz dla jego chłopięco-męskich nóg, zdrowych i silnych, jednakowoż nielubiących stać po próżnicy; Adam zauważa w chłopcu pewien rodzaj, jak by to nazwać, myśli, pragmatyczności, o tak, Adam jest zauroczony pragmatyzmem chłopca, a nawet mężczyzny, który sprawia wrażenie, jakby obliczył sobie, że nie powinien marnotrawić energii na stanie w autobusie, jeśli choć jedno miejsce jest wolne, chłopiec, a nawet mężczyzna robi na Adamie dobre wrażenie, jest władcą pierwszego wrażenia, tym swoim pewnym i wzniosłym niemalże zajęciem wolnego miejsca dowodzi, że w jego zdrowym chłopięco-męskim umyśle nie ma miejsca na zbyteczne rozterki, przez jego chłopięcą, a nawet męską myśl nigdy nie przemknął dylemat, czy można usiąść, skoro staruszki, czy raczej możliwość staruszek, staruszki potencjalne, czają się i dybią na siedzenie. Adam nie może się oprzeć widokowi chłopca, a nawet mężczyzny, wpatruje się w niego ukradkiem, póki nie napotyka wzroku chłopca, a nawet mężczyzny odbitego w szybie, spotkanie tego spojrzenia Adam uznaje za antycypację spotkania bardziej bezpośredniego, Adam wiedziony jest przeczuciem, że chłopiec, a nawet mężczyzna zaprosił go swoim odbitym spojrzeniem na miejsce obok siebie, a może tylko dał przyzwolenie, Adamowi to wystarcza, za przyzwoleniem przysiada się więc obok, mimo staruszek, których akurat nie ma, ale w każdej chwili mogą etc. Przysiada się, ale nie wie, co dalej, chłopiec jest obok i mężczyzna jest obok, Adam nie wie, do kogo zwrócić się najpierw, na kogo spojrzeć w pierwszej kolejności, na chłopca w mężczyźnie czy też na mężczyznę w chłopcu, nie może się zdecydować i wcale na nich nie patrzy, rękę tylko kładzie na siedzeniu tuż obok męskiej ręki chłopca, kładzie i czeka, czy chłopiec w mężczyźnie drgnie, czy też mężczyzna w chłopcu się wzdrygnie. Adam łapie się na myśli, która go nieco peszy i przestrasza, oto bowiem zdrowym silnym buhajowatym samczym i bóg wie na jakie jeszcze sposoby męskim chłopcem zachwycony, chciałby móc go leczyć, chciałby, żeby ten mocny, rześki i krzepki byczek miał jakieś małe stłuczonko, drobne zwichniątko, ewentualnie nieskomplikowane złamanko, Adam mógłby wtedy dotykać go w sposób jawny i uprawniony, chłopiec, a nawet mężczyzna powierzyłby mu wtedy swoje kości, a nawet ciało, byłby mężczyzną obdarzającym Adama chłopięcym zaufaniem, Adam zaś namacywałby, opukiwałby, nastawiałby, naprawiałby chłopięcość w męskości, lecz mężczyzna o chłopięcej kondycji, młodzieńczym zdrowiem promienny, pozostaje dla Adama nietykalny, można tylko, siedząc u jego boku, napawać się skrycie, rezonować wewnętrznie, pomrukiwać ksobnie, gęsią skórkę chowając pod rękawem kurtki. Adam przymyka oczy i czuje męskość chłopca u swego boku, sam jest przybocznym, parobkiem chłopca, giermkiem mężczyzny, chciałby usłyszeć od niego jakiś rozkaz wypowiedziany głosem gromkim i nieznoszącym sprzeciwu, chciałby spełnić go nie dość szybko i zostać karnie uderzonym, albo wypełnić go sprawnie i otrzymać pochwałę; Adam roi sobie siebie u boku męskiego chłopca i nawet nie zauważa, kiedy porusza małym palcem, dotykając jego dłoni. Chłopiec, a nawet mężczyzna reaguje natychmiast, spogląda na Adama z dezaprobatą, wstaje i przechodzi na koniec autobusu, który już dojeżdża do przystanku, tam chłopiec wysiada i jako mężczyzna zza szyby pokazuje Adamowi wyprostowany środkowy palec. Wchodzą staruszki, chrząkają, stękają, wzdychają, sugerują litaniami, że słabe, zbolałe etc., Adam nie słyszy, rozsmakowuje się w bólu, bezwiednie nieustępliwy, nie dowie się, jaka jest dzisiejsza młodzież i czegóż to nie było za dawnych czasów.

Matka słyszy autobus na końcowym przystanku, opodal domu, kierowca właśnie zgasił silnik, będzie czekał do piętnaście po, ma czas na kanapki. Matka zwykle nie zwraca uwagi na autobus, cóż tam, dwa razy dziennie przyjeżdża z miasta, zabiera i oddaje ludzi, hałasu przy tym nie ma ani sensacji żadnej, wciąż ta sama obsada, Konopcyno i Bartoszkowo zajmują miejsca z przodu, żeby mieć kontrolę nad Skrzyposzkową, Skrzyposzkowo nawet nie siada, żeby im pokazać, jaka to żwawa, staje tuż za kierowcą, lubi do niego zagadać, lubi stać i ględzić mu za plecami, czego tam się naoglądała nasłuchała przy kasie. Środek autobusu zwykle pusty, bo młodzi z tyłu zasiadają, nierozmowni, jakby próbowali sobie przypomnieć, co im się śniło, a kiedy uświadamiają sobie, że śniło im się dokładnie to samo, co im się na jawie przytrafia, droga do roboty robota droga z roboty obiadokolacja dwa piwa i do wyra, stają się jeszcze bardziej nierozmowni, młodzi, ale zmęczeni życiem podwójnie, skoro sny im to zmęczenie potęgują. Każda noc jest echem dnia, każdy sen jest kopią jawy, młodzi jadą do huty, nie mając pewności, czy właśnie im się to nie śni, na wszelki wypadek nie odzywają się do siebie, mogłoby się okazać, że w ten sposób mówią przez sen, a to trochę jednak wstyd. Kierowca też prowadzi autobus przez sen, czasem rzuca się w łóżku, przeklina i uderza żonę dłonią, przekonany, że przyciska klakson, żona budzi się zła, kiedyś przytulała go i uspokajała, szepcząc do ucha, teraz potrząsa nim i ruga go, wyzywając od durniów. Potrząsany przez żonę kierowca, nim się obudzi, przeżywa wypadek, śni własną śmierć w autobusie wypadającym z szosy, potem już do świtu nie może zasnąć, siedzi przy lodówce, popija wodę i przeklina w myślach swoje małżeństwo; nienawidzi żony za to, że ją kocha, choć dawno już przestała do niego szeptać.

Matka dziś zwróciła szczególną uwagę na punktualność autobusu, bo też i szczególny to przypadek, kiedy syn wraca po ostatnim egzaminie, syn wraca i jeśli zdał (a przecie nie mógł nie zdać, zawsze tak dobrze mu szło), nie jest już jej Adasiem studentem Akademii Medycznej, tylko jej synem panem doktorem Adamem, oj, dumaż moja, duma, Matka wychodzi więc przed dom, żeby spojrzeć w stronę przystanku. Ojciec też już stoi i wypatruje, jeszcze niepewny, jeszcze gotów się srożyć, ale już za plecami igristoje trzyma, a korek już tylko palcem przytrzymuje, żeby Adasia oblać jak rajdowca po zwycięskim wyścigu. Adaś nadchodzi, poznają go po krokach, takich rozhuśtanych, nikt tak nie chodzi jak on, jakby miał buty na sprężynach, każdy krok tak stawia, jakby chciał się wybić wzbić podskoczyć, o tak, teraz mu się to wreszcie udało. Ojciec niby niepewny, ale dumaż jego, duma już w przedsionku serca się gnieździ, syn jego, ze wsi prostego, zwykłego chłopa, Akademię skończył, ludziska, toż wy, głupie, nie rozumiecie chyba, jaka wielka to rzecz, kto niby studia ze wsi pokończył, córka Jadaszki turystykę, ale kto wie, co to za szkoła, a Akademia to Akademia.

Matka zauważa, że Adaś coś smutny, ostatni raz takim go widziała, jak był malutki i dowiedział się, że Medor nie uciekł, tylko zdechł, Matka żegna się i szepcze trwożliwie:

– Jezusie, a jak nie zdał...

Ojciec też brwi marszczy, bo coś mu się ten Adaś nie widzi dziś jakiś taki, nigdy takiej miny nie miał.

– Jak nie zdał, do domu nie wpuszczę.

Adaś jednak w końcu się uśmiecha, urwis, tak sobie zażartować chciał, myśli Matka, chciał przed nami do końca udawać, że nie zdał, ale uśmiecha się, wreszcie się uśmiecha, teraz jest już jasne, że

– Zdał – mówi Matka, otwierając ramiona do powitalnego przytulenia.

– A co? Mój syn miałby nie zdać?! – mówi Ojciec i wyjmuje zza pleców butelkę, Matka już ma Adasia w ramionach i obściskuje, Ojciec nie wytrzymuje, wstrząsa flaszką i odkorkowuje, polewa syna jak zwycięskiego rajdowca, Matka też moknie, piszczy, Adaś jak zwykle zawstydzony, że niby po co, nie trzeba, w dodatku lepiej przed domem widowiska nie robić, lepiej wejść do domu, spokojnie się nacieszyć, rozważnie, oj, Adasiu, Ojca duma rozpiera, dajże mu się naradować po swojemu, a jeszcze wszystkiego nie wiesz, Adasiu, nie wiesz jeszcze, jaki prezent rodzice ci przygotowali, na co się wykosztowali, jak się dowiesz, to dopiero się zdziwisz.

Adam się dziwi. Dziwi i boi. Całe życie bał się niespodziewanych prezentów, w większości rozmijały się z jego oczekiwaniami, bo nie miał śmiałości prosić o coś wymarzonego, nie śmiał też odmawiać przyjmowania prezentów niechcianych. Teraz szczególnie bał się powrotu do domu, bo przeczuwał, że Ojciec przygotuje coś ekstra na tę historyczną chwilę, ta niewątpliwie jedyna w swoim rodzaju okazja obdarowania syna, który spełnił ojcowskie ambicje, zapowiadała jakiś wyjątkowo kłopotliwy i niechciany prezent. Adam, wracając do domu, próbował wyobrazić sobie najgorsze, na przykład, że Ojciec kupił mu samochód (Ojciec przez ćwierć wieku nie zauważył, że Adam nigdy nie bawił się samochodami) albo konia (Adam w dzieciństwie musiał się nauczyć jazdy na oklep, mimo panicznego lęku przed końmi, którego Ojciec nigdy nie rozumiał, wielokrotnie za to powtarzał Adamowi, że z lękami, zwłaszcza tymi panicznymi, należy walczyć), nie przychodziło mu do głowy nic bardziej kłopotliwego, w dzieciństwie wszystkie autka i koniki chował w szufladzie, ale w skali jeden do jeden mogą się nie zmieścić, Adam się domyślał, że rodzice zdecydowali obdarować go w taki sposób, że nie będzie mógł się kłopotliwego prezentu pozbyć, domyślał się, że podarują mu coś, co utrudni mu natychmiastową wyprowadzkę do miasta, którą postanowił przeprowadzić bezwzględnie, za wszelką cenę, wynajmując lokum blisko szpitala, w którym ma zamiar podjąć pracę, a raczej odbyć staż na warunkach finansowych, o których nie może powiedzieć rodzicom, bo ich radość z nominacji syna na Pana Doktora od razu przeobraziłaby się w gniew, a potem w rozpacz. Oto więc choć Adam coś tam mgliście przeczuwał, czegoś tam trwożliwie się domyślał, mimo to dziwi się i boi, stojąc przed gustownym, drewnianym domem wyglądającym na świeżo postawiony, na łączce pod lasem, w miejscu jego pierwszych zabaw w lekarza z córką sąsiadów, miejscu pierwszego rozczarowania anatomicznego, miejscu odkrycia, że do braku zainteresowań motoryzacyjnych i hippicznych dochodzi jeszcze jeden zasadniczy brak, różniący go od wszystkich innych wiejskich chłopców. Adam zdezorientowany patrzy to na dom, to na okolicę, to na rodziców, wreszcie pyta Ojca:

– Czemu ten dom tu stoi?

– Podoba mi się, synek, twoje pytanie. „Czemu ten dom tu stoi?" A co, ma leżeć? Stoi, bo ktoś go postawił, he, he!

– Ostatnim razem nic tu nie stało...

– Brawo, synek, spostrzegawczość masz po mnie. Ale też, jak to mówią, nic nie stało na przeszkodzie, żeby tu taki domek postawić.

– Tato, a czemu my... stoimy przed tym domem?

– Adam zadaje pytania jak Czerwony Kapturek, który rozpoznał wilka w przebraniu babci i chce odwlec chwilę nieuchronnego pożarcia, które właśnie następuje, nieodwołalnie, bo Matka wyjmuje pęk kluczy i podaje mu, mówiąc:

– Dla pana doktora.

Ach, więc jednak, kupili mu dom, ba, zbudowali go, wybrali model, a pewnie i urządzili dla swego syna jednorodzonego, który przecież na pewno na ojcowiznę wróci, o niczym innym nie marzy, myśli Adam i nie bierze kluczy, choć Matka wyciąga rękę i pyta zawiedziona, a raczej zmartwiona, ze łzami w oczach:

– Nie podoba ci się?

Matka prawie zawsze ma łzy w oczach, jak się śmieje, to do łez, jak się z czegoś cieszy, to się wzrusza i płacze ze szczęścia, jak ją coś zmartwi, też łzawi, a w dni powszednie, pozbawione szczególnych powodów, profilaktycznie użala się nad sobą, biadoli sobie i popłakuje ot tak, żeby oczy przeczyścić; Adam widzi, że wiotka łodyżka-Matka drży, choć jest bezwietrznie, i gotowa się złamać, jeśliby wyraził swój sprzeciw wobec tych kluczy, tego domu, tej idei, którą właśnie sobie w pełni uświadomił; ten dom to pułapka, myśli Adam i wie, że przyjmując pęk kluczy z matczynej ręki, podpisze na siebie wyrok, założy sobie pętlę z pępowiny na szyję, dokona katastrofalnej regresji, a lata studiów, które uważał za prolog do samodzielności, staną się tylko pojedynczą wyrwą w jego udomowieniu pod rodzicielskim dachem; Adam kręci głową, patrząc w szkliste oczy Matki, jakby chciał jej powiedzieć to, czego na głos wypowiedzieć się nie odważy: że nie dla nich skończył studia, lecz dla siebie!

Teraz Ojciec ratuje sytuację, zdecydowanym ruchem przejmuje klucze, otwiera dom i wciąga Adama do środka, do łodyżki mówiąc z niecodzienną łagodnością:
– Ech, matka, ty już wystrachana. Co się ma nie podobać, synek po prostu, jak to mówią, oniemiał z wrażenia.

I już zaczyna oprowadzać Adama jak kustosz po muzeum, matka człapie krok za nimi, zaczyna się zwiedzanie, Ojciec ciągnie Adama za rękę, trzymając ją w przegubie, tak jak przed laty, kiedy Adam nie miał ochoty nauczyć się pływać, kiedy nie chciał brać udziału w świniobiciu, kiedy wstydził się zatańczyć z dziewczyną na weselu kuzyna – zawsze ręka Ojca łapała go w przegubie i ciągnęła, tym straszliwiej, że bez brutalności. Nie, Ojciec nigdy się z Adamem nie szarpał, spokojnie dopinał swego, jego siłą była siła spokoju i żelaznej konsekwencji, była też udręką Adama; kiedy zaciągnięty do jeziora, rzeźni albo na parkiet nadal stawiał opór, Ojciec rezygnował z przymuszania, nagle stawał się łagodny jak baranek, taplał się w wodzie sam, osobiście wytaczał krew z aorty knura, obracał w żart taneczną niesubordynację; i wszystko byłoby dobrze, gdyby po powrocie do domu nie zamykał Adama w specjalnie urządzonej piwniczce, wyposażonej w polowe łóżko, koc i krótką świeczkę, tak wymierzoną, by świeciła godzinkę, może dwie, Ojciec nazywał to miejsce z a s t a- n a w i a l n i ą; zamykał tam syna na klucz, wiedząc, że Adam niczego tak się nie boi jak ciemności, że Adam wyobraża sobie piekło jako świat bez światła, że nie wy-

trzyma tam długo, zamykał go więc i mówił: „Synuś, tu
się będziesz miał czas wyciszyć i trochę nad sobą po-
zastanawiać. Gdybyś czegoś potrzebował albo zmienił
zdanie w jakiejś sprawie, co do której się nie zgadza-
my, tylko zapukaj od środka". I Adam myślał godzinkę,
może dwie, i tłumaczył sobie, że przecież kiedy już nauczy się pływać, nie będzie się bał wody i w przyszłości
będzie mógł przemierzać oceany, poznając nowe lądy
i wysyłając z nich kartki do domu, kiedy już nauczy się
zarzynać świniaka, przestanie go brzydzić widok krwi
i będzie mógł naprawdę leczyć ludzi, kiedy odważy się
zatańczyć z dziewczyną, będzie mógł pójść na dyskote-
kę w mieście i poznać jakiegoś chłopaka; Adam zasta-
nawiał się przy dogasającym ogarku, jaka jest różnica
między niechęcią, lękiem i grozą, a kiedy płomyk gasł,
zaznawał tej różnicy empirycznie, natychmiast podbie-
gał do drzwi, pukał, potem walił pięścią, wreszcie łomo-
tał, wrzeszcząc, żeby go wypuszczono, ale Ojciec nader
niespiesznie nadchodził, z każdym kolejnym pobytem
w zastanawialni Adam czekał na oswobodzenie dłużej,
Ojciec dbał bowiem o to, by syn walczył z lękiem, nawet
jeśli z każdej kolejnej potyczki wychodził jeszcze bardziej przegrany, roztrzęsiony i upokorzony; ważna była
walka, nauka borykania się z własną słabością, Ojciec
nie szanował ludzi słabych, a przecież nie mógł sobie
pozwolić na to, by nie szanować własnego syna, musiał
go wychować na mężczyznę walczącego.

   – Wszystkie papiery my już za ciebie pozałatwiali,
z notariuszem mam dogadane, wystarczy, że się pod-

piszesz, synuś, i chałupka jest twoja. Proszę ja ciebie, prosto z katalogu, domek jak się patrzy, z drewna, trzy miesiące i gotowe, proszę bardzo, kuchnia jest, łazienki dwie, jedna na piętrze, tu pokój na gabinet jak ulał, tu sypialnia – o, z wyjściem tajnym, he, he, synuś...

Ojciec już go puścił, złagodniał, zachwycony, jakby doglądał wnętrz pałacowych, nawija dalej do matki, przechodzi z nią gdzieś do kuchni, łazienki, kolejnego pokoju, zaaferowany ciągnie dalej:

– Tu se dla dzieci pokoik urządzicie, jak już się ożenisz wreszcie nareszcie, a na razie może być gościnny...

Adam zostaje w sypialni i sprawdza sprytnie pomyślaną drogę ewakuacji, tajne drzwiczki, wychodzi nimi przed dom, siada na schodkach, podpiera głowę jak przydrożny świątek i rozmyśla, czy Ojciec wie, że od czasu pobytów w zastanawialni Adam czuje się bezpiecznie tylko w pomieszczeniach mających dodatkowe wyjście, co najmniej dwoje drzwi wyjściowych, Adam zastanawia się, czy Ojciec okazał się aż tak przewidujący i wspaniałomyślny, czy też to standardowe rozwiązanie z katalogu budowlanego.

Rosół we troje. Siedzą przy rosole. Jak świat światem na czas rosołu wszystkie swary, działania frontowe, nadchodzące kataklizmy, domniemane choroby, kryzysy małżeńskie ulegają zawieszeniu, rosół jest poza rzeczywistością, rosół, nawet jeśli nie brata, nawet kiedy nie jedna, każe wziąć w cudzysłów wszystko to, co się powiedziało w gniewie, wszystko, ku czemu się pędziło na złamanie karku, wszelkie pochopności, które się uczyniło, rosół potrzebuje spokoju, wymaga pełnego skupienia na sobie, stworzenia wspólnoty ciszy rosołowej, którą przerwać może czasem tylko dźwięk łyżek uderzających o talerz. Rosół rzecz jasna z kury szczęśliwej, co to latami plotkowała z kokoszkami na okolicznych podwórkach, swobodnie dziobiąc ziarno, tłuściutki, z górą warzyw i makaronu domowej roboty, takiego rosołu nie można zjeść od razu, nie można go sprofanować, pijąc duszkiem, to nie jest rosołek błyskawiczny, ten rosół musi dać czas wszystkim, których wokół siebie zebrał, by rozgrzewając nim żołądki, ostudzili głowy, przy takim rosole siedzi Adam z rodzicami i czeka, co też powie Ojciec, czy w ogóle coś powie, czy też gotów milczeć do śmierci, obrażony na syna, który dopiero co oznajmił, że raczej nie myślał o powrocie na wieś, bo najważniejszy jest dla niego teraz staż w szpitalu, i choć miejsce w akademiku już mu nie przysługuje, woli wynająć sobie coś w mieście niż dojeżdżać, musiałby wtedy wstawać godzinę wcześniej, ponadto lepiej przecież być w pobliżu, gdyby jakiś nagły wypadek, zastępstwo na dyżurze, a poza tym poza tym (to jednak oznajmił półgłosem, tak że Ojciec nie dosłyszał, prosił, żeby mu powtórzyć głośno i wyraźnie, Adam powtórzył więc niewiele głośniej), poza tym wszystkim on naprawdę chciałby spróbować sam, znaczy, tego, samodzielnie.

Rosół ma się ku końcowi, a oni wciąż milczą, wygląda to jak jakieś posiedzenie rady plemiennej nad szamańskim wywarem, jakby czekali, aż halucynogenne substancje wymoszczą się w ich krwi i wywołają trans, Adam istotnie zaczyna odczuwać rosołową senność, wspinającą się od pełnego żołądka przez przeponę aż po skronie, ostatnie łyżki dojada już dużo wolniej, bojąc się, że z końcem rosołu zakończy się rozejm i Ojciec zrobi coś dużo straszniejszego, niż mogłoby Adamowi przyjść do głowy, Ojciec, który nigdy się nie piekli, lecz spokój, który z pozoru zachowuje, jest piekielnie niebezpieczny; Matka sama nie odważy się odezwać, zresztą nie wiedziałaby, co powiedzieć, jak ogarnąć myślą tę nagłą zmianę, Ojciec musi nadać kształt jej myślom, dopiero kiedy on coś powie, wszystko stanie się jasne, Matka czeka więc na słowa Ojca, dopiero wtedy zacznie mu wtórować, a rosołową ciszę zastąpi rodzinny gwar, och, gdyby mógł być gwarem beztroskim, Matka jest krucha jak wydmuszka, pęka pod ciężarem trosk, i choć zatroskanie jest jej specjalnością, by nie rzec: sposobem na życie, dziś już wystarczająco dużo musiała unieść na swojej skorupce, czeka więc z nadzieją na słowa Ojca, doczekuje się:

– No przecie nic się nie stało. Domek poczeka, aż ci przyjdzie pora na stare śmieci wrócić. To już i tak twoje, akt własności podpisany, a klucze se weźmiesz, jak ci przyjdzie ochota tu zamieszkać.

Matka natychmiast podchwytuje dyskurs, jakby bała się, że Ojciec tak naprawdę walczy ze sobą i zaraz wstanie od stołu, powie: „Jednak nie, nie mogę się z tym pogodzić", i zostawi ich samym sobie:

– A pewnie, że tak. Niech se chłopak trochę popracuje w mieście, pozarabia...

– Kobite se znajdzie...

– A jakżeby inaczy...

– A z kobitami, he, he, to zasada jest jedna sprawdzona: piękna kobita nie musi być, piękny to ma być koń, jak go na targu kupujesz. Kobite se musisz wybrać rasową. Piękne konie tu już na ciebie czekają, rasową kobitę nam przywieź, co, matka, ni mom racji?

Ten niewyszukany dowcip Adam już skądś zna, Ojciec używa go w chwilach zakłopotania jak magicznego zaklęcia, które oznacza, że jest zmęczony niezręczną sytuacją i chciałby wrócić na poziom prostych prawd, jasnych podziałów, na poziom tak zwanego chłopskiego rozumu.

Matka znowu się wzrusza, wszak napięcie opadło, łzawi na widok syna i ojca w zgodzie przy stole siedzących, głaska Adama po głowie.

– Cacany jesteś, wrażliwy, taki Kazio dobroduszniak, oj, żebyś ty na dobrą kobietę trafił, Adaś, bo takich jak ty najłatwiej skrzywdzić...

I tu się zagalopowała, bo wrażliwość i podatność na krzywdę to nie są idealne męskie cechy, Ojciec jest rozdrażniony, Matka cofa rękę przestraszona, Ojciec gromi:

– Ty go tam nie pieść, nie ściskoj go tak... Takie chechlanie to z dzieckiem, nie z chłopem.

Matka próbuje się bronić odwieczną formułką, klątwą nieodpępowionych:

– Dla mnie on zawsze będzie moim dzieckiem, dla matki syn dzieckiem zostaje na zawsze...

– Dobra, synuś, pojedlim, to cię wezmę na męski spacer, he, się przejdziemy, pogadamy se jak chłop z chłopem, że tak powiem, już cosi tam przygotowane mom, żeby nam się dobrze gadało...

Ojciec znajduje wyjście w wyjściu, do którego kieruje Adama, łapiąc go za przegub (więc Adam nie ma wyjścia, tak na chłopski rozum).

Męski spacer nie jest zbyt odległy, chociaż męczy jak całodzienna wspinaczka, Adam nie przywykł do męskich spacerów, pije niechętnie i od wielkiego dzwonu, jeśli już, to czerwone wino, Ojciec zaś specjalnie na tę historyczną chwilę wyjął flaszkę litewskiego rumu, Adam już po pierwszym łyku zaczyna łapać powietrze, czuje, że jego organizm przeżywa tąpnięcie, to się nie może dobrze skończyć, ale Adam stara się nie okazywać zmęczenia, jeszcze tylko ten spacer, jutro skoro świt wyjedzie, a co tam, w końcu raz w życiu kończy się studia, czy może być lepsza okazja, żeby się upić, poza tym to nie jest niedobre, tylko za mocne, mogło być gorzej, Ojciec mógł go poczęstować tak zwanym winem z czereśni, Ojciec jest dumny ze swojego wyrobu, Adam nie śmiałby tłumaczyć mu, że wino, jak sama nazwa wskazuje, robi się z winogron, Ojciec wyśmiałby go, uznałby, że na tych studiach we łbie mu się poprzewracało, z dziada pradziada na wsi pędzili wino czereśniowe, tajniki przepisu sobie przekazując, bo to nie wystarczy, żeby owoce sfermentowały, trza wiedzieć, jak wino pędzić, o tak, mogło być gorzej, czereśniowe wino Ojca zawsze wywoływało u Adama zgagę i mdłości, rum na szczęście wykonali profesjonaliści, Ojciec przywiózł go z jakiejś dawnej wycieczki, trzymał latami i oto nadarzyło się, męski spacer z panem doktorem, krótki, bo do nadproża nowego domu drewnianego, tymczasowo niechcianego, sto pięćdziesiąt metrów, i to w poziomie, nie w ścianie, choć rozpoznawalność pionu i poziomu z wolna w Adamie zanika, Adam patrzy na etykietę i próbuje odczytać liczbę procentów czystego etanolu, pięć tysięcy pięćdziesiąt procent, przecież to niemożliwe, myśli Adam i mruży jedno oko, pięćdziesiąt procent, mój Boże, to mnie zabije, myśli Adam i słucha Ojca, który tłumaczy się, tłumaczy sobie, poddaje sytuację analizie.

– Bo my z matką by chcieli, żeby ty mioł wszystko jak najlepi.

Adam mimowolnie podejmuje dialog z Ojcem, próbując obliczyć liczbę pustych kalorii w pięćdziesięciomiligramowym łyku pięćdziesięcioprocentowego rumu.

– Rozumiem, tato.

– Tylko my, durne, chcieliby mieć cię od razu przy sobie.

– Wiem, tato...

– A to tak nie da się.

– Tak, tato...

– Jak świat światem, dzieci od rodziców odchodzo na swoje.

– Mhm...

– A przecie w Biblii powiedziane jest, zostawisz ojca i matkę, czy coś tam...

– Mm...

– ...i pójdziesz za żoną... No jest coś takiego, synuś, nie?

– ...

Adam próbuje utrzymać równowagę w pozycji siedzącej, myśli, czy aby nie umrze z wyczerpania na tej przechadzce, czuje, że musi wstać, bo im bardziej jest nieruchomy, tym szybciej rusza się ziemia; nagle w pobliżu zaczynają wściekle ujadać psy, słychać też jakieś wrzaski, prawdopodobnie pijackie, ale tego już Adam dokładnie oszacować nie może, nie jest też pewien, czy naprawdę słyszy psy, może to w jego mózgu rum szczeka; spogląda pytająco na Ojców, mówiących jednym głosem.

– He, he, staremu Kubicy znowu psy przywieźli. Chodź, zobaczysz kacapa.

Teraz przydałaby się i dłoń na przegubie, Adam nie nadąża za Ojcami, nogi gubią trop, ale nic to, spacer dokończyć należy, szuka wzrokiem Ojców, przymyka jedno oko, jeden Ojciec ukrył się za drzewem i daje mu znać, żeby podszedł, popatrzył. Adam mruży, patrzy, widzi, że za płotem Kubicy, sąsiada nie tak starego, jak durnego, biegają i ujadają niemiłosiernie dwa rottweilery. Chwiejny Kubica próbuje się dostać do środka, ale kiedy tylko trochę uchyla furtkę, psy natychmiast wpychają swoje wściekłe pyski w szparę, próbując go ugryźć. Ojciec analizuje, tłumaczy:

24

– Od kiedy do partii sie zapisoł, odbiło mu całkiem. Psy wynajął. Na noc mu je przywożą... Dobrze pies groźny w ogrodzie wygląda... jakby się kto zakradł... Mówi, że na pewnym poziomie psy trza mieć...

Adam pyta Ojca, nie poznając własnego głosu, próbując sobie przypomnieć, jakiego języka używa na co dzień:

– Szemuonetakiezłesą? Niepoznająго?

– A bo to czasu ni mo, żeby bestie oswoić... A jak długo z szynku nie wraca, stara mu dom zamyka i idzie spać.

Ojciec pociąga łyk rumu, delektując się trunkiem, po czym nachyla się ku Adamowi, jakby chciał mu wyjawić jakąś tajemnicę, ale zauważa słabość, nie, tak by tego nie nazwał, widzi chwilowe osłabienie syna, w końcu rumisko mocne że u-cha, jemu samemu łzy do oczu podchodzą, może trochę przesadził, synek zdrowy tryb życia prowadzi, ludzi leczyć będzie, może niepotrzebnie w ogóle ten rum wyjmował, trzeba było wina czereśniowego, dłużej by sobie pogadali, a tak musi synka pod ramię wziąć, żeby nie upadł, i do domu prowadzić; Adam powłóczy nogami, tato, zwolnij albo weź mnie na barana, myśli i odpływa w nieprzytomność; w resztkach świadomości lęgnie się poczucie winy.

To z nim się obudzi następnego dnia o świcie, tylko to nieokreślone poczucie winy pamiętać będzie, jak również to, że autobus odjeżdża o szóstej czterdzieści pięć, czyli zaraz, czyli trzeba biec mimo zawrotów głowy, kołkowatego języka i rozstrojenia ośrodkowego układu nerwowego. Dobiegnie, autobus będzie już stał z włączonym silnikiem; usiądzie, odetchnie i zanim ponownie zaśnie, zdąży sprawdzić, czemu chlebak ma taki wypchany – matka kanapki włożyła i herbatę w termosiku – i czułością ukołysany, spokojnie prześpi pierwszą fazę kaca.

2

Robert wygląda niezdrowo, od pewnego czasu sam to zauważa. Żona często zwracała mu uwagę, żeby zaczął dbać o wygląd, bo ubiera się byle jak, nie goli porządnie, sprawia wrażenie wiecznie skacowanego, co ludzie sobie o nim pomyślą, powinien bardziej zwracać uwagę na to, jak go postrzegają, w końcu nie jest byle kim, za byle kogo by nie wyszła, przez pewien czas był nawet osobą publiczną, gdyby nie przestał pisać, wciąż by nią był, pisma dla kobiet miałyby na niego oko, byłby brany pod uwagę w rankingach najpiękniejszych ludzi roku, w końcu jest przystojny, w końcu nie jest taka pewna, czy gdyby nie był przystojny, pozwoliłaby mu się uwieść, nie jest taka pewna, czy gdyby chodziło tylko o te jego piękne słówka, pisane i mówione, o to jego słynne mistrzostwo słów i słówek, wyszłaby za niego za mąż, prawdopodobnie została jego Żoną dlatego, że poznała go akurat w momencie, kiedy jego mistrzostwo i jego przystojność osiągnęły fazę szczytową, została Żoną przystojnego mistrza słowa, trudno jej więc pogodzić się teraz z tym, że przestał pisać, jak również dobrze wyglądać, dlatego zaczęła mu zwracać uwagę, że się zaniedbał na ciele i umyśle, owszem, często mu powtarzała, że wygląda źle, ale jak dotąd nie zauważyła tego, co zaniepokoiło samego Roberta, a mianowicie niezbitego faktu w niezbitym lustrze objawionego: Robert zaczął wyglądać niezdrowo.

Lekarz odesłał go do innego lekarza, inny lekarz odesłał do specjalisty, specjalista odesłał go na badania, a kiedy zobaczył wyniki, zapytał, jak dużo Robert pali i od kiedy pije, dowiedział się, że Robert co prawda trochę popala, żeby nie obgryzać paznokci, ale za to nie pije prawie wcale, po pijaku nie mógłby pracować, wtedy lekarz zapytał, gdzie Robert pracuje i w jakich warunkach, tylko niech nie owija w bawełnę, bo wyniki nie są zbyt ciekawe, Robert odpowiedział, że normalnie pracował w domu, ale od pewnego czasu w biurze, w sądowym archiwum, Teść mu to załatwił, żeby miał spokój, tam prawie nikt nie przychodzi całymi dniami, może się skupić na pisaniu, lekarz zapytał: „To czym pan się właściwie zajmuje?", Robert odpowiedział, że teoretycznie jest pisarzem, podał mu tytuł swojej ostatniej książki, lekarz przyznał, że coś mu się obiło o uszy, ale Robert nie uwierzył, książka bowiem ukazała się zbyt dawno, ludzie mają krótką pamięć, lekarz zapytał: „Dlaczego pan powiedział «teoretycznie»?", Robert odparł, że w praktyce nie jest już pisarzem, bo nie pisze, od pewnego czasu nie może zebrać myśli, a kiedy próbuje się skupić, wysilić umysł w twórczy sposób, robi się senny, znużony, nie wie, czy to może mieć związek z tym jego niezdrowym wyglądem i nieciekawymi wynikami; „Wszystko możliwe – odpowiedział lekarz – będziemy musieli pana jeszcze raz zbadać dokładniej"; Robert zbadał się jeszcze raz dokładniej, dziś ma odebrać wyniki.

Robert spogląda przez okno swojego pokoiku w archiwum, mieszczącym się w suterenie gmachu biblioteki sądowej, wokół niego piętrzą się rzędy obrosłych kurzem skoroszytów, okno znajduje się na wysokości trotuaru, Robert spogląda na przechodzących ludzi z żabiej perspektywy, widzi tylko ich nogi. Myśli o swoich poprzednikach, o tych wszystkich ludziach, którzy wcześniej od niego pracowali w tym miejscu, sąd stoi tu od czasów międzywojnia, Robert próbuje policzyć, ilu urzędników nadzorowało sądowe zbiory w tym archiwum z oknem na wysokości chodnika, na pozór ograniczającym widok, ale też odsłaniającym to, co ludzkim oczom zazwyczaj niedostępne, jaki to miało wpływ na ich psychikę i światopogląd, a raczej światop o d g l ą d, siłą rzeczy nie sposób bowiem z tej perspektywy spojrzeć ludziom w oczy, można tylko popatrywać na ich nogi, przy odrobinie wysiłku zerkając nieco wyżej, Robert miał się tu skupić na pisaniu, ale od kiedy zajrzał pod sukienkę zgrabnym młodym nogom, nieukoronowanym żadną koronką, od kiedy ujrzał niczym niechroniony równiutko wygolony paseczek nad cipką (nie mógł znaleźć innego słowa na tę śmiałą wiosenną otwartość), od kiedy więc zaczęła go rozpraszać świadomość cipki raz ujrzanej, a zatem możliwej do zobaczenia powtórnego, nie mógł już pisać, lecz rozlubował się bez reszty w spoglądaniu ludziom na nogi, czasem zaś zaglądaniu między nogi, w oczekiwaniu na cipkę (w porach ciepłych zdarzały się wcale często), domyślał sobie do nóg twarze, wyobrażał sobie, jakaż twarz może pasować do nóg, czy nogi zgrabne oznaczają twarz piękną, czy koślawe giczoły muszą należeć do gęby kaprawej, przecież nie wszystko na świecie jest tak oczywiste, światopodgląd odsłaniał tylko część prawdy o ludziach, Robert całymi godzinami zajmował się więc rozważaniem, jakaż to gęba lub twarz kryje się za danym chodem, butami, spodniami, rajstopami, majtkami, najbardziej zaś się głowił, czyjeż to cipki tak odważnie nad nim przemykają; z czasem spekulacje zastąpiła zimna analiza, Robert stał się w tym całkiem niezły, teraz jest już naprawdę dobry, całe miasto rozpoznaje po chodzie, wie więcej, niż powinien, mógłby z tej wiedzy skorzystać, gdyby nie to, że najbardziej interesują go cipki. Robert wygląda przez okno, dziś jest niestety dzień chłodny, tęsknota za cipką nie znajdzie ukojenia, mimo to Robert nie traci nadziei, wykrzywia się pod oknem, żeby zobaczyć jak najwięcej, musi wyglądać naprawdę dziwacznie; kiedy Praktykantka uchyla drzwi, Robert wygląda na tyle dziwacznie, że sama nie wie, czy może wejść i przerwać to, co się dzieje, czy zaskakując Roberta, nie odkryje w nim wariata, czy nie zdemaskuje jakiejś jego tajemnicy, narażając się tym samym na skutki niespodziewanego ataku jego szaleństwa; Praktykantka zamiera więc w uchylonych drzwiach i czeka, i patrzy, podgląda podglądającego, wpatruje się, a może i zapatruje na niego, bo aż drzwi od tych zapatrywań szczękają, nie ma odwrotu, trzeba wejść, zamarkowawszy wejście z marszu, żeby nie wzbudzić podejrzeń, że coś zdołała podejrzeć; Robert natychmiast odpycha się nogami od ściany i dojeżdża na ruchomym krześle do biurka, przybierając urzędniczą postawę. Praktykantka jest śliczna, w dodatku ślicznie udaje, że niby z marszu, bez pukania, bez pardonu, jak do swego po swoje, już kłaść mu chce na biurku naręcze teczek.

– Gdyby mi pan to przygotował na... – Dopiero teraz podnosi oczy śliczne i rozgląda się wokół tak ślicznie, i urywa w pół zdania, że niby zdezorientowana, że się pomyliła: – Zaraz, a co to jest za pokój?

Robert nabrał podejrzeń pełną garścią, Praktykantka jest podejrzanie śliczna, zbyt śliczna na Praktykantkę, Robert spogląda na jej nogi i głowę dałby sobie uciąć, że to nie nogi Praktykantki, może i ona praktykuje co nieco tu i ówdzie, ale raczej nie w gmachu sądu, to nie jest uroda sądowa, to nie jest uroda gmaszysk ponurych i monotonnych, to jest uroda zjawiskowa, Robert tłumaczy zjawisku fałszywej Praktykantki, gdzie się znajdują, nie dociekając, skąd ona tu i co udaje:

– Archiwum, szanowna pani.

Praktykantka wychodzi przed drzwi, sprawdza tabliczkę, klepie się w głowę, (czyni to ślicznie), a potem zaprzecza swemu gestowi:

– Boże, ja dzisiaj jestem bez głowy zupełnie, no. Nie na to piętro zjechałam...

I wychodzi, tak ślicznie spoglądając przepraszająco. Robert wie już, że absolutnie niczego dzisiaj nie napisze, został definitywnie rozproszony, co gorsza, domyśla się, że to sprawka Teścia, Teść jako człowiek wpływowy ma dostęp do urodziwych hostess, które ze znawstwem wyławia i czyni sekretarkami w swoim biurze poselskim, Teść jest kolekcjonerem sekretarek, które z czasem zaczynają być wobec siebie nieuprzejme, kiedy więc sekretariat Teścia się przeludni, Teść wysyła wybrane sekretarki z zadaniami specjalnymi; owóż jednym z tych zadań są przeszpiegi w gmachu sądu, Teść chciałby mieć pewność, że jego zięć należycie korzysta z komfortowych warunków, jakie mu zostały stworzone, na państwowej posadzie za średnią krajową ma przełamywać pisarski kryzys, po to, żeby wreszcie wrócić do formy, a mianowicie stać się powszechnie uznawanym mistrzem słowa, tylko w ten bowiem sposób przysporzyć może Teściowi dodatkowej estymy; Teść, przyzwalając na małżeństwo córki z twórcą powszechnie uznawanym, nie brał pod uwagę, że tym samym skazuje ją na życie z twórcą wypalonym, bo powszechne uznanie prędzej czy później powoduje syndrom wypalenia, Teść chciałby mieć pewność, że Robert robi coś w kierunku właściwym, a mianowicie w kierunku przysparzania mu dodatkowej estymy, Teść wysyła więc od czasu do czasu sekretarki w roli szpiegów, dyskretnie instruując je, jak czujnego i podejrzliwego Roberta sprawdzać, jakich sztuczek używać, by sprawdzian okazał się wiarygodny, a Robert nie wiedział, że został sprawdzony; cóż stąd, kiedy wszystkie sekretarki Teścia są nieuleczalnie śliczne, Robert demaskuje każdą z nich od pierwszego wejrzenia.

Robert wzdycha, rozgląda się smętnie po pustym pokoju; Praktykantka po wyjściu stała się jeszcze śliczniejsza.

Robert porzuca monotonię ponurego gmaszyska, melancholizował się już wystarczająco długo, na fajrant biją dzwony okoliczne, wychodzi o precyzyjnie ustalonej porze, jak w każdy dzień roboczy, niczego tu zmienić nie podobna, Robert, od kiedy ożenił się z Żoną, żeniąc się tym samym z Teściem i Teściową, wżeniając się w ich dom, jest człowiekiem kontrolowanym. Wcześniej, kiedy był jeszcze pisarzem piszącym i nieżonatym, miał do siebie żal o brak dyscypliny, rytmu, reguły, wedle której żyłby i pisał w sposób uporządkowany. Zmęczony wolnością pokochał więc kobietę, która wydała mu się zdyscyplinowana i ułożona, a potem ożenił się z nią, mając nadzieję, że jako Żona zrobi w jego życiu radykalne porządki, że dzięki małżeństwu Robert stanie się twórcą piszącym rytmicznie i regularnie. Niestety, od kiedy ożenił się z Żoną, Teściem i Teściową, stał się pisarzem niepiszącym, mimo że jego życie nabrało rytmu i regularności, jakiej nie wyśniłby w malignie. Robert wychodzi z gmachu sądu rejonowego na parking, wsiada do samochodu, dokładnie w momencie włożenia kluczyków do stacyjki słyszy dzwonek telefonu, Żona dzwoni, pyta:

– Jesteś już w aucie?

Robert jest już w aucie.

– W aptece byłeś rano czy zapomniałeś?

Robert nie był, zapomniał, teraz podjedzie.

– Boże, co za człowiek, to teraz nie jedź, bo znowu w korkach utkwisz, wracaj do domu, roboty pełno, nie klucz po mieście.

Robert nie widzi potrzeby dalszej rozmowy, kontrola została przeprowadzona, mówi, że wjeżdża pod mosty, że mu zasięg znika, przerywa połączenie, jedzie spokojnie ulicą, kluczy po mieście, kierując się zagęszczeniem aut, wreszcie pakuje się w najbardziej zakorkowany odcinek i włącza sobie muzykę. Robert jest miłośnikiem stania w ulicznych korkach, prawdopodobnie jedynym w mieście, które jest zapchane coraz bardziej przez coraz to nowych nabywców aut, coraz bardziej nerwowych, bo przepustowość ulic zmniejsza się tak prędko, jak zwiększa się zdolność kredytowa obywateli. Robert słucha muzyki i popatruje z zadowoleniem na kierowców, wiercących się, odpalających niecierpliwie papierosy, bębniących palcami po kierownicy, trąbiących beznadziejnie i bez sensu, wychylających głowy przez okna swoich nowych wozów, rozglądających się na wszystkie strony, jakby szukali możliwości ucieczki, skrótu, bo przecież kurwa nie po to kupowali nowe auto żeby do chuja pana stać w jebanym korku i wolniej się poruszać niż kurwa na rowerze jakby se chcieli pojeździć na rowerze toby se kurwa jego mać kupili pierdolony rower zwłaszcza biorąc pod uwagę że za cenę tej bryki toby mogli se kupić w chuj rowerów fabrykę całą noż kurrrrwa niechże się coś ruszy wreszcie bo ich kurwica weźmie. Robert też zapala papierosa, w biurze zakaz, w domu alergia Żony, tylko w samochodzie może sobie zapalić spokojnie, niespiesznie, do samego filtra, w dodatku przy muzyce, której Żona nie zniosłaby, nie zrozumiała, Żona dostaje migreny od muzyki, ona odpoczywa przy muzyczce, Robert musiał się z tym pogodzić, jak i z wieloma innymi zasadami, ze skwaszoną miną musiał przyjąć zasady rządzące jego życiem rodzinnym, stał się człowiekiem kompromisu, koniecznego, by życie rodzinne nie stało się rodzinnym piekłem; Robert pamięta rodzinne piekło z domu swoich rodziców, o których ani słowa więcej. Robert boi się piekła, więc wybiera kompromisy, co wcale nie jest takie uciążliwe, przecież może sobie palić i słuchać muzyki w samochodzie, nie musi się nawet skupiać na prowadzeniu, bo stoi w korku. Salony samochodowe prosperują znakomicie, banki każdego dnia pasą się na procentach, większość samochodów stojących w korku jest własnością banków, ich właściciele, lichwiarze nieśniący koszmarów o siekierze narwańca, dawno już przesiedli się do pociągów, marsz z dworca do banku zastępuje im poranny jogging, cóż za ekonomia czasu, właściciele banków osobiście prowadzą samochody tylko za granicą, lubią się rozpędzać, w kraju o malejącej każdego dnia przepustowości rozpędzić się nie sposób, wystarczy jednak przekroczyć granicę i można dać wolne kierowcy, położyć marynarkę na siedzeniu obok i rozpędzić się po europejsku, właściciele banków, pytani, skąd pochodzą, odpowiadają już od dawna „From Europe, sir, like all of us", za granicą nie chcą sobie przypominać kraju, w którym nie można się rozpędzić, tak jak Robert nie lubi wspominać domu swoich rodziców.

Robert rozkoszuje się dymem i muzyką, kierowcy nie znajdują w nim towarzysza niedoli, nie odczytują dobrze jego rozpromienionej twarzy, jego życzliwych uśmiechów, z czego ten skurwysyn jest taki zadowolony, nie przychodzi im do głowy, że to uwięzienie może smakować wolnością; papieros się kończy, Robert przypomina sobie, że musi odebrać wyniki, zastanawia się, czy wciąż będą nieciekawe, czy już po prostu złe.

Wyniki są prawdopodobnie jeszcze mniej ciekawe, ale to trzeba będzie skonsultować ze specjalistą; nie dziś, w laboratorium nie chcieli mu powiedzieć niczego konkretnego, Robert musi odczekać, ma termin w przyszłym tygodniu, ciekawe, czy choroba zachowa się wobec niego fair i zgodzi się do tego czasu nie rozwijać, pewnie nie, bo przecież Robert może w razie potrzeby skorzystać z możliwości prywatnej wizyty, poza kolejnością, lecz Robert ani myśli, nie po to odprowadza kilkaset złotych miesięcznie na ubezpieczenie, co dla pisarza niepiszącego jest mimo wszystko zbyt poważnym wydatkiem, Robert nie chce współtworzyć chorego i zakłamanego systemu, dla samej idei woli poczekać na swój termin, ma nadzieję, że choroba weźmie to pod uwagę i nie skorzysta podstępnie z tych kilku dni zwłoki, zwłaszcza jeśli ma już nad nim wyraźną przewagę, czego Robert się domyśla, ale wciąż jeszcze tego nie wie na pewno; Robert woli tę pewność odłożyć na później, na razie tylko wygląda niezdrowo i ma nieciekawe wyniki, może więc kluczyć po mieście i zajechać pod ulubioną księgarnię, gdzie ulubiona księgarka miała mu sprowadzić i odłożyć książkę (Żona co prawda dzwoni, niepokoi się, no ale przecież stał w korku, bo musiał jeszcze do apteki). Książka jest gruba i droga, Robert nie ma skrupułów, lecz będzie musiał zdrapać z niej cenę i schować tom głęboko do torby, pod jej dno, do specjalnego schowka na zakupy, które odkryte w domu mogłyby wywołać niepotrzebną salwę kąśliwych uwag, to kolejny kompromis, którego Robert się nauczył, z pewnymi drobiazgami lepiej się nie ujawniać, skoro mogłyby spowodować wcale nie tak drobne nieprzyjemności, wystarczy przecież schować nabytek pod dno, a na wierzchu ułożyć swoje szpargały, kupione lekarstwa, z takim kamuflażem torba jest gotowa do domowej kontroli; Żona cierpi na natręctwo ruchów, lubi ukradkiem sprawdzać zawartość torby Roberta, gdyby znalazła w niej świeżo kupioną książkę, zdenerwowałaby się, że Robert, zamiast zarabiać na swojej literaturze, wydał pieniądze na cudzą, zamiast pisać, będzie czytał, Robert i tak od niepamiętnych czasów miał wyrzuty sumienia, że więcej czytał, niż pisał, teraz zaś, kiedy nie pisze wcale, wyrzut sumienia jest szczególnie dotkliwy, nie trzeba mu o tym przypominać, nie trzeba dodatkowo psuć przyjemności lektury; Robert chowa więc książkę tuż po wyjściu z księgarni, chce wejść do auta, ale został rozpoznany, nie obejdzie się bez rytualnego podpisiku, a także, co gorsza, bez pytania, którego ulubiona księgarka już od dawna nie zadaje (przestałaby wtedy być ulubioną księgarką, Robert zaopatrywałby się gdzie indziej), ale wciąż ciśnie się ono na usta fanom, a przecież nie można im odmówić prawa do niecierpliwości.

– Kiedy pan znowu coś napisze? – pyta chłopak zza pleców dziewczyny, którą wypchnął z książką, żeby uroczo dygnąwszy, potwierdziła tożsamość Roberta i złowiła autograf.

– Coś mi się tam ciągle pisze... chociaż się nie wydaje – odpowiada Robert i uśmiecha się, zadowolony z tego, że zachował jeszcze resztki dawnej błyskotliwości, a zaraz potem posmutniały, że znowu musiał skłamać: przecież nic się nie pisze, kiedyś samo mu się pisało, książka, którą właśnie zadedykował dziewczynie i chłopakowi, też napisała mu się sama, dlatego wciąż jeszcze się sprzedaje, choć już raczej z rozpędu. Kiedyś pisało mu się samo, potem zaczął zmuszać się do pisania, teraz już tylko podpisuje swoje książki.

Przychodzi pora, kiedy trzeba wrócić, wejść do domu, zdjąć płaszcz i buty, przejść przez główny salon, w którym ścieżki domowników przecinają się najczęściej, bo choć tak zwana góra należy do tak zwanych młodych, to na dole, należącym do rodziców, czyli Teściów, mieści się wspólna kuchnia, a także kominek i panoramiczna plazma, do których to ognisk domowych lgnie Żona, a tym samym i Robert unikać ich nie może; choć góra należy do młodych, do schodów przechodzi się przez główny salon, należący do niemłodych już, lecz przecież zdrowo wyglądających, zdrowy tryb życia prowadzących, jakże aktywnych i żwawych Teściów, czyli rodziców; ściślej mówiąc, to Teść odpowiada za utrzymywanie wysokiego poziomu żwawości w swoim małżeństwie, Teść jako wpływowy polityk jest żwawy za dwoje, żwawy i zmyślny, jego zmyślność wcale nie słabnie z wiekiem, wszystko robi zmyślnie, zmyślnie zaproponował młodym górę, wiedząc, że z dołu będą musieli korzystać, przeto nie straci kontaktu z córką, jako też kontrolę nad jej małżeńskim samopoczuciem sprawować mógł będzie. Robert wita się z domownikami i zmierza do kuchni, Teść nie zwraca na niego uwagi, przemierza salon z kasetą wideo w dłoni, otwiera szafkę, w której stoją rzędy kaset, szuka wśród nich nowej, żeby móc zarejestrować kolejne ze swoich wystąpień telewizyjnych, Teść umiejętnie udaje niechęć do udzielania wywiadów, im częściej dziennikarze nękają go prośbami o wywiad, tym łatwiej przychodzi mu udawać tę niechęć, wciąż jednak udaje, uwielbia się oglądać w telewizji, dziennikarze nie mogą go przestać nękać prośbami, nie mają wyboru, Teść wciąż jest gwiazdą, zrobić z nim wywiad to gratka, tyle lat, stary skurczybyk, utrzymuje się u żłobu i wciąż jeszcze nikt mu porządnie nie dołożył, ale nawet ci, którzy spektakularnie polegli, robią potem karierę w telewizji, sama próba dołożenia Teściowi czyni dziennikarza gwiazdą, więc wszyscy próbują się do niego dobrać, ale Teść rzadko się zgadza, zna swoją wartość, dlatego stawia warunki, wybiera sobie rozmówców, no i nigdy, przenigdy nie występuje na żywo. Teść szuka pustej kasety i nie może znaleźć, wścieka się, bo tym razem zjadła na nim zęby szczególnie ostra i doświadczona w zagryzaniu polityków dziennikarka, Teść jest człowiekiem czynu i porządku, archiwizuje wszystkie swoje publiczne występy, nie rozumie, dlaczego nie może znaleźć pustej kasety; nie musiałby nagrywać domowymi sposobami debat ze swoim udziałem, wystarczyłoby poprosić, żeby mu przesłali płytę z programem, ale wtedy Teść musiałby się zdradzić, przecież udaje, że nie znosi wywiadów.

– Jasna cholera, jasna cholera. No nie ma, no. Pokończyły się kasety, a za chwilę się zacznie...

Może Teściowa coś wie na ten temat; od kiedy popadła w szczególnego rodzaju religijność, zrobiła się nagle jakaś złośliwa, od kiedy zaczęła uczęszczać na zebrania organizowane w salkach katechetycznych i utrwalać nowe znaczenia słów: Moralność, Ojczyzna, Prawda, Rodzina, Historia, które wprowadzano w miejsce moralności, ojczyzny, prawdy, rodziny i historii, Teść zaczął się o nią niepokoić, nigdy wcześniej nie przejawiała ideologicznej aktywności, w domu rodzinnym to on uosabiał ideologiczną żwawość, nigdy nie było między nimi konfliktów, Teściowa zawsze w pełni utożsamiała się ze stanowiskiem męża, od pewnego czasu jednak jej poglądy zradykalizowały się, jej religijność i złośliwość przybrały na sile, Teść przyglądał się temu z najwyższym niepokojem, ale nie wszczynał sporów, nie był przygotowany na debaty domowe, tym bardziej że wszystkie debaty telewizyjne wygrywał swoim zmyślnie argumentowanym konserwatyzmem, wygrywał swoimi radykalnie konserwatywnymi poglądami, które, opanowawszy za młodu sztukę erystyki, wykładał z niedoścignioną zmyślnością, nie był przygotowany na spór z kimś, kto uznawałby jego postawę za zbyt kompromisową, a nawet zachowawczą, by nie rzec służalczą wobec wrogich wartości, tak zaś mieliła ozorem Teściowa, albo mieliło radyjko przy jej uchu; Teść nie przyjmował do wiadomości, ignorował, nie uznawał, ważył lekce mielenie Teściowej z radyjkiem, gdyby bowiem zareagował choć raz gniewem, gdyby dał się wciągnąć w kłótnię, tym samym uznałby prawo Teściowej do indywidualnego, niezależnego rozwoju światopoglądu, a przecież to nie Teściowa miała światopogląd, lecz radyjko, jakżeby Teść miał się wdawać w pyskówkę z radyjkiem, ignorował więc ostentacyjnie, Teściowa ostentacyjnie pogłaśniała; póki nie kompromituje go publicznie, nie będzie interweniował, tak sobie postanowił, ale coraz trudniej radzi sobie z jej złośliwością. Znowu mu złośliwie przygaduje:

– I bardzo dobrze, że nie ma na co nagrać. To masz za karę, żeś się nie zgodził u ojca dobrodzieja wystąpić...

– A właśnie, że się nagra. I to na twojej kasecie, tam gdzie masz film z ostatniej pielgrzymki. Na złość tobie, bo mnie wkurzasz już niemożliwie. Gdzie ona jest? Gdzie jest ta kaseta?

Teściowa w ostatnich latach coraz częściej peregrynuje, to już nie są wycieczki kółka parafialnego do Lichenia, to poważne wyprawy rodziny radyjka pod auspicjami ojca dobrodzieja, Wilno, Medjugorie, Cork, Fatima, Santiago de Compostela (Jerozolima w planie na ten rok; od kiedy ma w planie Jerozolimę, wyjmuje Teściowi po kryjomu z portfela pieniądze, wcześniej nie zdobyłaby się na coś takiego, ale teraz traktuje to jak dywersję na tyłach wroga, od kiedy wspomaga rodzinę radyjka skonfiskowanymi pieniędzmi i odkłada na Jerozolimę, jej złośliwość wzmogła się jak nigdy dotąd), nagrywa, kolekcjonuje, ma swoją szufladkę, księgi pielgrzymstwa polskiego opisuje na paseczku, kaligrafując literki.

– A tej to na pewno nie znajdziesz. Pożyczyłam, puszczałyśmy sobie w parafii ostatnio, proboszczowi się tak spodobało...

– Jasna cholera, jasna cholera. No się zaczyna już, no...

Tym razem nagrania nie będzie, Teść zasiada w fotelu, widząc siebie w fotelu witającego się z publicznością i państwem przed telewizorami, odruchowo składa dłonie, stykając czubki palców, podstawy języka gestów opanował tak dawno i z tak dobrym skutkiem, że stały się językiem jego odruchów; Teść ogląda siebie i przeżywa debatę po raz drugi, mniej więcej pamięta, co mówił, szepcze pod nosem te same kwestie, podoba się sobie.

Teściowa ogląda program po raz pierwszy, słucha pilniej od Teścia, poznaje aktualną postawę polityczną przeciwnika, przygląda się jego metodom, wsłuchuje się w zmyślnie prowadzony dyskurs i choć reprezentowane wartości są jej obce, uczy się, wyciąga wnioski.

Żona nie może przestać się ruszać, jej drobne kroczki są wszędobylskie, drepcze całą powierzchnią stóp, jak Japonka, akcentując piętą każdy krok, nie przestaje chodzić, otwierać i zamykać szuflad, poprawiać zasłon, przysuwać krzeseł, przestawiać przedmiotów z miejsca na miejsce, bez przerwy trajkocze pod nosem, pokichując co kilka zdań, taka jest, taka się stała, nie ma rady, jej natręctwo czynności obejmuje też Roberta, sama wciąż będąc w ruchu, źle znosi widok bezczynności; Robert coraz częściej odnosi wrażenie, jakby oglądał Żonę na filmie z przyspieszonymi obrotami, na jeden jego krok przypadają cztery kroczki, zanim zdąży jej odpowiedzieć, słyszy już dwa kolejne pytania, Robert męczy się przy Żonie, odpoczywa w spokoju swej biurowej smutni. Kiedyś pokochał właśnie żywotność, energię, rozmowność tej kobiety, ale czas jest wrogiem zauroczeń, teraz drobne kroki żony szukającej dla niego kolejnych zajęć wywołują w nim tęsknotę za krokiem wolnym, dostojnym, spacerowym, jej szybko wypowiadane komendy wywołują w nim głód mowy niespiesznej, spokojnej, a nawet wiązanej. Robert lubi przesiadywać w szopce, markując pracę, postukując młotkiem, wkręcając i wykręcając śrubkę (gdyby Żona przyszła sprawdzić, czy się nie rozleniwił, śrubka jest poręcznym alibi). Bywało, że Robert sam na sam ze śrubką napawał się chwilami wolności, a nade wszystko powolności, bywało, że mówił wolno do śrubki, radośnie oddalony od tupotu stóp małżonki, „O, śrubko", wołacza używał w chwilach szczególnego rozmarzenia i zadowolenia swoją tymcza-

sowo odzyskaną powolnością, nie przestając jednak nasłuchiwać, czy aby nie przyjdzie kontrola, czy nie będzie
musiał przybrać sugestywnej pozy mechanika, czy nie
usłyszy, że musi wynieść to tamto z góry na dół, przesta-
wić ten tamten stamtąd gdzie indziej, dokręcić, bo się
poluzowało, przeczyścić, bo się przytkało.

Robert spożywa odgrzany obiad, Żona nadeszła,
weszła, rusza się i przemawia:

– Znowu mnie złapało kichanie tak strasznie. Czy
ty aby odkurzyłeś na pewno wszystkie kąty? Trzeba me-
ble poprzestawiać, bo może tam jest kurz jakiś niedo-
stępny, którego nie wessało i on teraz tak ukradkiem na
mnie działa. Masz dla mnie te tabletki?

Robert wyjmuje z kieszeni paczkę pigułek z rachun-
kiem i kładzie na stole przed żoną.

– Oj, no takie drogie, przecież mogłeś pomyśleć,
żeby nie kupować. Słuchaj, a może to o pierze chodzi?
Wiem, pościel zmieniona, ale te poszwy chyba jakoś tak
przesiąkły... Z szopki trzeba przynieść brykiety i drewno do kominka, znowu idą wieczory chłodne, zapowiadali, słyszałam, tylko pamiętaj, żebyś i na tym kurzu nie
wniósł, bo się rozkicham do reszty.

Robert kończy jeść, wkłada naczynia do zmywarki,
przechodzi przez salon, schodami na piętro, Żona tupo-
cze krok w krok za nim, tzw. młodzi idą na tzw. górę,
która wedle niepisanej umowy należy do nich, z treści
spisanych i udokumentowanych wynika, że w praktyce
i tak wszystko należy do Teściów, obecnie bardzo zaan-
gażowanych w telewizyjną debatę. Teść komentuje, Te-

ściowa wykrzywia usta, minami wyraża dystans, w cóż tu się angażować, na cóż te wszystkie emocje, skoro Boga w tym nie ma, Honoru ani Ojczyzny, z dala od Prawdy te swary, oj z dala; Teść przeżywa:

– O, teraz jej przywaliłem trochę, co? To i tak łagodnie jak na mnie. Ty, patrz, jak mi się nogawka podwinęła. Patrz, jak to pokazują złośliwie teraz, specjalnie kamera najeżdża. Jak tylko jej przyłożyłem, jak wyczuli, że daję sobie radę z tą siksą, zaraz nogawkę kręcą. Nogawką chcą osłabić mnie, tak manipulują sprytnie...

Krok w krok za Robertem. Żona cały dzień nie miała za kim chodzić, to teraz nadrabia, nudziła się, od kiedy jest na urlopie zdrowotnym, nie wie, co z sobą począć, od kiedy nie wie, co z sobą począć, jest na urlopie zdrowotnym, alergia, migrena, stany lękowe, wszystko naraz. Pracowała w biurze poselskim ojca jako sekretarka, ale kiedy wyszła za mąż za powszechnie uznanego pisarza, uznała, że to dobry moment, żeby przejść na jego utrzymanie, tak przynajmniej utrzymuje, kłamczucha, że to była jej decyzja, nie ojca. Teść dał wolne swojej córce; wydając ją za powszechnie uznanego pisarza, zasugerował, że powinna zacząć korzystać z życia, zwiedzać świat, poznawać ludzi; uwierzyła i tym samym zwolniła miejsce dla kolekcji ślicznych sekretarek, które można czasem nieco poemablować, troszeczkę sobie z nimi poflirtować, pożartować, czasem wziąć na kolana, to zupełnie co innego, niż wziąć na kolana własną córkę. Kiedy okazało się, że Robert mimo powszechnego uznania (które uważał za przypadkowe, tymczasowe i zgubne) przestał pisać, kiedy powstało poważne zagrożenie, że w związku z tym w krótkim czasie przejdą na wikt i opierunek Teściów, Żona spróbowała wrócić do pracy, ale w biurze poselskim Ojca niestety zrobiło się dość tłoczno, znalazła więc stanowisko sekretarki w innym biurze, gdzie pan dyrektor już po kilku dniach uparł się, by ją emablować, troszeczkę sobie z nią poflirtować, pożartować, a kiedy spróbował ją sobie posadzić na kolanach (wszak nie był z nią w żaden sposób spowinowacony), źle się poczuła; niby tylko stany lękowe, ale zaraz potem dołączyła do nich migrena, no i ta okropna alergia, wzięła więc urlop, teraz przesiaduje całymi dniami w domu, czekając na męża, a potem nie opuszcza go na krok.

Robert ma na pięterku swój gabinet, dawną bibliotekę Teściów wzbogacił swoimi zapasami, od tej pory gabinet skurczył się do wymiarów gabineciku, większość miejsca zajęły w nim książki, cały pokój jest zastawiony dwoma rzędami regałów, nadmiary książek piętrzą się na wygiętych półkach, tworzą kolumny na podłodze, blat stołu-biurka położony jest na czterech książkowych kolumienkach; Robert lubi to miejsce, lubi otaczać się książkami, nawet jeśli nigdy nie zdąży ich wszystkich przeczytać (a właściwie czemu miałby ich nie doczytać po śmierci, oczami ślepca Robert widzi idealnie dla siebie dobrane zaświaty jako bibliotekę w kształcie labiryntu z nieskończoną liczbą niewielkich pokoików, w których mógłby, wymościwszy się w fotelu, czytać wiecznie, nieustannie, bez zmęczenia, bez snu, błądząc między książkami, błąkając się od książki do książki, bez wyrzutów sumienia, że czyta, zamiast pisać, bo po śmierci pisać już nie będzie musiał), książek wciąż przybywa, niedługo trudno będzie się z nimi pomieścić, już teraz książki wypychają z półek statuetki nagród literackich, najcięższą ze statuetek Robert niedawno strącił sobie na stopę, kontuzja była dość poważna i to właściwie z jej powodu w końcu zdecydował się pójść do lekarza, tajemnicę niezdrowego wyglądu badając niejako przy okazji.

Żona bardzo tego miejsca nie lubi.

– O, a tu już w ogóle wchodzić nie powinnam, książki się kurzą, ten twój pokój to jest prawdziwe siedlisko mojej alergii, mole tu mają raj, i roztocza; po co ci te wszystkie książki, może byś chociaż tych przeczytanych się pozbył?

– Nikt ci nie każe tu wchodzić, to jest moja pracownia.

Żona cofa się na korytarz, zasłania twarz chusteczką, Robert szybko wyjmuje z teczki wyniki badań i chowa w zamykanej na klucz szafce, potem wyciąga z torby kupioną książkę i układa na regale obok innych, starszych, wsuwa ją tak, żeby nie rzucała się w oczy; choroba i niepotrzebne wydatki, to by dopiero było zamieszanie, tego by nie zniosła, dla świętego spokoju lepiej uprawiać sztukę kompromisów, a w tym wypadku jej szczególny podgatunek: kamuflaż.

Żona nawet nie patrzy w stronę uchylonych drzwi, przez nie mógłby w jej stronę zawiać jakiś kurzowy podmuch, o zapalenie spojówek nietrudno, mówi do Roberta, stojąc bokiem, przez chusteczkę, niezadowolona, że znów straciła go z oczu.

– Pracownia to była, kiedy pisałeś. Teraz to jest nie wiem co, izba pamięci co najwyżej. Pieniądze topnieją, niedługo od rodziców będziemy musieli pożyczać, jak tak dalej pójdzie. Nie piszesz, to tu nie siedź, już lepiej przynieś te brykiety, poza tym w szopce moim zdaniem przecieka dach.

Puka w uchylone drzwi, szkoda czasu, Robert w swojej pracowni może tylko marnować czas, a przecież czeka tyle zadań domowych do odrobienia, lenistwo jest najcięższym z grzechów głównych, czy jej mąż ma tego świadomość?

– Wychodzisz wreszcie?

Robert wychodzi, Żona krok w krok, nagle kicha potężnie.

– A może ja mam alergię na ciebie? Może ty coś szkodliwego wydzielasz, papierochy potajemnie popalasz...

Robert nie wytrzymuje, nie ma aż tyle cierpliwości, minął kwadrans od powrotu do domu i już chciałby z niego uciec, po piętnastu minutach ma dosyć tej kobiety na cały dzień; kiedy jest poza domem, wydaje mu się, że może być inaczej, że przecież wciąż w głębi duszy ją kocha, tylko musi być bardziej wyrozumiały, silniejszy, w domu wystarczy kwadrans, żeby miał jej dość, ilu takich kwadransów jeszcze potrzeba, żeby wreszcie podjąć decyzję o wyprowadzce, zastanawia się Robert i natychmiast przypomina sobie, że teraz już trochę za późno, jest kompletnie spłukany, tak naprawdę od dawna już żyją wyłącznie na koszt Teścia; Robert nie ma dokąd się wyprowadzić, więc tkwi tutaj, zaciskając zęby, czasem odszczekując:

– Myślę, że ty masz alergię na samą siebie.

Dach w szopce przecieka, bo Robert dba o to, by dziura się nie zmniejszyła, żeby popołudniami mieć zajęcie z dala od Żony, alergia nie pozwala jej wejść do środka, szopka jest królestwem kurzu, szopek się nie sprząta, stawia się je po to, żeby wykonywać hałaśliwe i nieeleganckie prace fizyczne, dla których nie ma miejsca w eleganckich domostwach, zasadniczo mają więc służyć jako warsztaty, a z czasem wszystkie upodabniają się do siebie jako lamusy, przytułki dla wysłużonych sprzętów, strzępów dawnej świetności, przedmiotów, które stały się bezużyteczne i niemodne, ale jakoś żal je wyrzucać, a nawet jeśli nie żal, to jest kłopot z wywózką, tymczasem więc lądują w szopce i obrastają kurzem, kurz jest sprzymierzeńcem Roberta, dzięki niemu Robert może przez osobiście wydłubaną w dachu dziurę doglądać chmur, a Żona nie może tego sprawdzić, choć nawołuje, zbliża się, chciałaby go mieć przy sobie, przecież tyle, co przyszedł, a już go nie ma. Zebrała się na odwagę, zagląda do wewnątrz.

– Ale kurzu w tej szopie, zobacz, jak widać pod słońce... To kiedy przyjdziesz do domu?

– O co ci chodzi, widzisz przecież, że dach trzeba naprawić, pewnie do wieczora zejdzie...

– Aha... No bo... Może sobie to podzielisz... Żebyś nie był tu za długo, bo w domu jest roboty dość. U rodziców się odpływ zatkał, tata nie będzie się z tym grzebał, bo musi przygotować przemówienie... Tak, że... Nie za długo tutaj... Poza tym... chyba znowu te lęki mi się zaczynają.

Chyba naprawdę się zaczynają, skoro tak stanęła u wejścia do szopki i kurzu się nie boi tak jak samotności, te lęki, jak je nazywa, czasem doprowadzają ją do poważnych ataków histerii, tak poważnych, że Robert nie chciałby już być ich świadkiem, boi się ich tak samo jak jego Żona, która teraz kicha, czerwienieje, łzawi, ale stoi i patrzy na niego błagalnie, zaraz mu się tu udusi, dostanie ataku astmy i padnie, Robert wzdycha, bo znowu wygrała, znowu zrobiło mu się jej żal, przerywa dłubanie w dachu, musi wracać, musi się zająć byciem--ku-Żonie.

3

Pies wierci się, kładzie i wstaje, nerwowo popisku-
je, boi się, bo pani leży na podłodze i wygląda na to,
że nie chce się bawić, chyba umarła, choć kiedy liże jej
twarz, czuje, że w środku jest życie, ciepła pani powinna
się obudzić, ale pies nigdy niczego nie może być pewien, póki nie spojrzy pytająco na człowieka; pani upa-
dła i umarła, na szczęście jest jeszcze pan gdzieś tam
u siebie, może zaraz przyjdzie, pies pobiegłby po pana,
ale wciąż wierzy, że pani za chwilę się obudzi, dopóki leży martwa na podłodze, jest bezbronna, ludzie są
silni tylko na dwóch nogach, sprowadzeni do poziomu
podłogi przestają być ludźmi, przestrzeń przypodłogo-
wa należy do zwierząt domowych, one nie lubią takiego
zaburzenia, wtargnięcia, człowiek nie powinien leżeć
na podłodze zbyt długo, martwy czy żywy zaburza odwieczny porządek, pies nie wie, jak się zachować: skoro człowiek leży, to może on powinien wstać na dwie
łapy, nie chciałby, żeby odtąd wszystko się tak zmieniło,
zwłaszcza że nigdy dotąd nie udało mu się chodzić na
dwóch łapach, poza tym pies w ogóle nie lubi jakichkol-
wiek zmian, żyje w wiecznej teraźniejszości; jeszcze raz
liże twarz pani, no niechże ona wreszcie ożyje, może

szczekanie pomoże, szczekanie przywoła pana, niech sam zobaczy, że pani umarła, znowu.

Pan jest Mężem pani, która ma na imię Róża; Pan Mąż obecnie przegląda papiery w swoim pokoju, coś mu się tam od rana nie zgadza w bilansach. Pan Mąż założył sobie kiedyś, że najważniejsze w życiu, to żeby bilans się zgadzał, od tej pory ustalał sobie takie biznesplany, żeby przy wykorzystaniu wrodzonego talentu i wyuczonej pracowitości stać się wybitnym specjalistą od bilansowania, Pan Mąż tak sobie wszystko poukładał, że aż mu się życie ułożyło, Szkoła Główna Handlowa z wyróżnieniem, staż w zachodnim banku, szybka wspinaczka, dyrektorskie stanowisko, wreszcie współwłasność banku, którego akcje wciąż rosną – a wszystko tylko dlatego, że nigdy nie przestał dbać o bilanse. Kiedy z nich wynikło, że osiągnął najlepszy moment na założenie rodziny, obliczył, że może sobie pozwolić na zdobycie kobiety ekskluzywnej, następnie po dokonaniu szczegółowego rachunku sumienia przyznał, że poświęcając się bez reszty swojej branży, zaniedbał edukacji kulturalnej, i tu, prześwietlając duszę swoją, dostrzegł zalążek kompleksu, który mógłby z czasem zacząć się rozrastać i wpływać na jego samopoczucie, a co za tym idzie na prosperowanie banku, wzrost akcji etc. Zaczął więc przeglądać rubryki towarzyskie w pismach dla eleganckich kobiet, fotoreportaże z premierowych bankietów, na które nie był zapraszany, blask gwiazd branży finansowej docierał bowiem do galaktyki scenicznej

i ekranowej tylko wtedy, kiedy gwiazdy branży finansowej chętne były do przelania stosownej kwoty na sztukę,
Pan Mąż zaś trzymał się z dala od wysoce niepewnych
i nierentownych inwestycji, przeglądał jednak rubryki
towarzyskie bardzo uważnie, bo obliczył, że inwestycja
w sztukę może mu się opłacić tylko w jeden sposób: jeśli
ożeni się ze sławną artystką, nie będzie musiał nikogo
dofinansowywać, żeby znaleźć swoje stałe miejsce w ru-
brykach towarzyskich, w ten sposób jego wizerunek się
wzbogaci, akcje wzrosną, a bilanse nie ulegną dezorga-
nizacji. Pan Mąż szybko zmęczył się analizą fotorepor-
taży; poważnie studiując wiarygodny materiał, którego
dostarczały mu pisma eleganckie, próbując obliczyć,
która z gwiazd pojawia się w nich najczęściej w najbardziej pozytywnym kontekście, zrozumiał, że obrał błęd-
ną metodę – najczęściej fotografowane uczestniczki
bankietów były bowiem tak zwanymi celebrities bankie-
towymi, artystkami zmuszonymi do bywania, gdyż ich
rzeczywista wartość na rynku sztuki drastycznie spada-
ła, aktorki notorycznie bywające na bankietach wcale
nie były prawdziwymi gwiazdami, te bowiem niczego
już nie musiały, Pan Mąż zrozumiał wreszcie, że rubryki bankietowe wypełnione są fotografiami zbyt małego
formatu, prawdziwa gwiazda nie pozwoliłaby sobie na
tak niewielki format; Pan Mąż wyszedł więc w miasto
szukać dla siebie kobiety większego formatu, stanął
w bezruchu przed największym billboardem w mieście,
po raz pierwszy w życiu tracąc rachubę czasu (a przecież czas to pieniądz, będzie to później musiał nadro-

bić). Albowiem zaprawdę powiadam wam, zobaczył twarz Róży i pojął natychmiast, że dotąd oglądał w życiu tylko gęby. Zobaczył w największym z możliwych formatów najpiękniejszą z możliwych twarzy i przystąpił do działania. Wyliczył sobie, że jako człowiek zamożny i urodziwy, do tego korzystający w pełni z analitycznego umysłu, którym został obdarowany, jest może na co dzień nieco zbyt spięty i poważny, brak mu może nieco szarmu i poczucia humoru, nie przywykł do używania tych cech w warunkach biurowych, bankowość nie jest dziedziną zachowań spontanicznych, nakazuje mieć się na baczności i trzymać dystans; Pan Mąż przez całe życie doskonalił sztukę trzymania ludzi na dystans i zupełnie nie wiedział, jak sukcesywnie zmniejszać gradient odległości między sobą i kobietą największego formatu. Pan Mąż do tej pory korzystał z kobiet, zażywał ich, kiedy poczuł, że organizm domaga się endorfin, były to jednak kobiety lekkie, łatwe i przyjemne także przez to, że nie musiał ich zdobywać, to były kobiety przeznaczone do natychmiastowej konsumpcji, zamawiał je z dostawą do domu, jeden jego napiwek równał się ich miesięcznym zarobkom, przeto doskonale wiedziały, jak się nim zajmować, od mistrzowskiego założenia prezerwatywy ustami na umiejętnie pobudzony członek, aż po maestrię udawanego orgazmu. Pan Mąż zrozumiał, że jakkolwiek by się zabrał do zdobywania kobiety jakiegokolwiek formatu, będzie to czynił z nieznaną sobie dotąd nieporadnością, straci wszystkie swoje atuty, zanim zdąży je ujawnić, uznał więc, że najlepiej będzie zacząć od przedstawienia oferty, potem zaś, stosując techniki negocjacyjne, którymi biegle władał na co dzień w swojej branży, sposobnie uargumentować korzyści z niej dla obu stron tak, by logika wykluczała odmowę.

Róża, najpiękniejsza twarz miasta, być może w ogóle najpiękniejsza twarz kraju, twarz największych koncernów kosmetycznych, nigdy nie była dobra w rachunkach, poddawała się przygodności życia, czując się w nim bezpiecznie dzięki jednej kategorycznej i niezłomnej wierze: w to, że ludzie z natury są dobrzy, może tylko nie zawsze bezinteresowni. Improwizując życie z wdziękiem i talentem, osiągała wszystkie cele niejako mimochodem, niechcący, bez szczególnych starań, i to właśnie miało największy urok, owa niekonieczność; Róża nie musiała koniecznie zostawać aktorką, po prostu dobrze czuła się w teatrze, zwłaszcza w repertuarze klasycznym, w tym azylu stylu wysokiego znajdowała antidotum na plebejską bylejakość mieszkańców metropolii, na ich ubogi i wulgarny język, zredukowany do terminów przydatnych w firmie i w łóżku, teatr był dobrym schowkiem przed rojowiskiem ludzi duchowo zaniedbanych, jak też szlachetnym panaceum na jej wciąż nieoswojoną samotność. Nie starała się także o karierę w kinie, tym bardziej w telewizji, to kino i telewizja postarały się o nią, poddała się tym przygodom z czystej ciekawości, ostrożnie dobierając role, tak by nie współuczestniczyć w terrorze powszechnej pospolitości, kino sprawiało jej mniejszą przyjemność niż teatr, ale dawało więcej zarobków, Róża jako urodzona improwizatorka nigdy nie miała oszczędności, w trosce o niezależność finansową przygodę z kinem zakończyła dla przygody z telewizją, która pozwalała zarabiać więcej i szybciej, ostatecznie zaś, zaproszona przez wielki koncern kosmetyczny do użyczenia swojej twarzy, uznała, że dopiero przygoda z reklamą pozwoli jej na posiadanie oszczędności mimo całkowitej nieumiejętności oszczędzania, stała się więc twarzą największego formatu i wróciła do teatru. Przygody z telewizją i reklamą sprawiły, że nieoswojona samotność zaczęła jej doskwierać bardziej niż kiedykolwiek wcześniej, najsilniejsze przyjacielskie więzy się poluzowały, gotowe były rozsupłać się do końca, nagle poczuła, że nawet najdawniejszym, sprawdzonym znajomym i odwiecznym przyjaciółkom rozmowa z nią zaczęła sprawiać kłopot, wydawało się, że nagle stracili zdolność rozmowy bezinteresownej, dlatego Róża postanowiła wrócić do teatru, do scenicznej wspólnoty, schować się w rolach klasycznych heroin, mówiących wierszem; zbyt długo przebywając w środowisku ludzi telewizji i reklamy, stęskniła się za językiem dawnych mistrzów, ludzie telewizji i reklamy posługiwali się językiem tak bardzo zredukowanym, niskim i pozbawionym urody, że Róża po powrocie do teatru przez dłuższy czas mówiła wyłącznie kwestiami ze starych sztuk, także poza sceną, w celu jak najszybszego pozbycia się z umysłu pamięci o języku ludzi zredukowanych, niskich i pozbawionych urody, mówiła wyłącznie cytatami z teatralnego kanonu; dawni przyjaciele i przyjaciółki woleli rozmawiać między sobą o jej zdziwaczeniu, egzaltacji i gwiazdorskich odchyłach niż z nią samą. Mniej więcej wtedy zaczęła zasypiać częściej niż zwykle. Doktor rozpoznał przemęczenie: to jest ulubiona diagnoza pacjentów i lekarzy, przepisuje się wtedy odpoczynek, jedno z niewielu lekarstw, które naprawdę smakują, o ile się go nie przedawkuje; Róża zrozumiała, że powinna przenieść się w krainę szeptów niescenicznych, zadbać o tak zwaną wewnętrzną harmonię, dawne niebezinteresowne koleżanki sugerowały, że powinna znaleźć sobie wreszcie kogoś na stałe, niebezinteresowni koledzy doradzali to samo, tylko bardziej osobiście.

Róża miała pecha, że akurat wtedy Pan Mąż zaczął z nią znajomość od oświadczyn, Pan Mąż jako pierwszy z tysięcy jej wielbicieli ośmielił się po prostu przedstawić i poprosić o rękę, było to co najmniej miłe, co najmniej interesujące, głodna nowej przygody zgodziła się dopuścić go do głosu; miała pecha, bo Pan Mąż potrafił być przekonywający. Słuchając jego argumentów, wąchała bukiet, który jej przyniósł, i nie mogła powstrzymać śmiechu, co go wcale nie peszyło, Pan Mąż znał się na ludzkich reakcjach, niekontrolowany śmiech był dobrze bitą monetą, Pan Mąż miał szczęście, któremu dodatkowo pomógł, stosując na Róży perfekcyjnie opanowane techniki perswazyjne, a kiedy skończył, mimo że zrobiło się późno, wcale nie miała ochoty wracać do domu, zrozumiała, że logika nakazuje jej przyjąć oświadczyny, tylko rozsądek podpowiada, żeby nie robić tego od razu.

Po ślubie, ach, po ślubie przeprowadzili się w góry, tam gdzie zdrowiej, świeżej, leśniej, ptasiej, trawiej i strumyczej.

Przerwijmy tę love story, Róża nie powinna tak długo leżeć na podłodze, pozwólmy jej się obudzić, doprawdy zasypia stanowczo zbyt często, małżeństwo wyraźnie jej nie służy. Pan Mąż wreszcie zwraca uwagę na szczekanie psa, skoro już przybiegł mu do nóg, Pan Mąż głaszcze go, nie przestając sprawdzać rachunków, woła Różę, bez odzewu, woła powtórnie, w końcu idzie sprawdzić, czy coś się nie stało, widzi ją nieprzytomną, musiała nagle zasnąć i upaść, ale dlaczego, czyżby coś ją zdenerwowało, przestraszyło, zauważa w jej dłoni bransoletkę na nogę, aha, no tak, niedopatrzenie, ktoś znowu chce mu utrudnić życie; delikatnie odgina Róży palce, wyjmuje bransoletkę i chowa do kieszeni, dopiero teraz uderza ją lekko po twarzy, próbując obudzić, nic z tego, śpi, podkłada jej więc poduszkę pod głowę i mówi do skomlącego psa:

– No, popilnuj pańci.

Odchodzi, wraca myślami do tego, co policzalne, będzie musiał jeszcze raz dokładnie zbilansować ostatnie operacje, coś mu się w tym wszystkim nie zgadza.

– Jesteś tu?

O nie, w tył zwrot, jednak się obudziła, wstaje z podłogi wymięta.

– Znowu spałam...

– Mogę umówić doktora na jutro, od ostatniej wizyty już chyba dość czasu minęło, myślę, że powinien cię zobaczyć.

Pan Mąż jest człowiekiem zasadniczym, a zatem jest również zasadniczo czuły i opiekuńczy, jest wyznawcą altruegoizmu, święcie wierzy, że dobro czynione drugiemu człowiekowi musi się kiedyś zwrócić, jest więc z zasady dobry dla Róży, ale ona potrzebuje pomocy fachowca, Pan Mąż musi się poświęcić pracy, poza tym jest już bardzo zmęczony partią symultany, którą prowadzi, zwłaszcza że ktoś tu najwyraźniej łamie zasady gry, trzeba będzie zadzwonić albo najlepiej zaesemesować, bo Róża się obudziła, a kiedy nie śpi, jest podejrzliwa.

Małżeństwo okazało się niezupełnie tożsame z odpoczynkiem, Róża zakochała się w Panu Mężu dość głęboko, niektórzy mogliby powiedzieć, że go pokochała, pewnie mieliby rację, Róża wzięła sobie urlop w teatrze po to, żeby się zaangażować w miłość, do utraty przytomności, niestety coraz częstszej. Zaczęła tracić przytomność po kilka razy dziennie, i to zwykle właśnie wtedy, kiedy Pan Mąż stawał się na dłuższą chwilę raczej czuły niż zasadniczy, rozpoczynając wprawnie i cieleśnie nakłaniać Różę, by jej urlop nieco wydłużyć o macierzyństwo (nie myślał o dzieciach, dopóki nie obliczył średniej wśród trzystu pięćdziesięciu najbardziej wpływowych ludzi biznesu, z której wynikało, że statystyczny ideał wpływowego biznesmena ma jedną żonę i 2,27 dziecka). Im była szczęśliwsza, tym częściej zasypiała, co było dość upiorne i denerwujące, a przestraszona i zdenerwowana traciła przytomność, nagle na kwadrans, czasem na nieco dłużej osuwając się bez życia na ziemię; Pan Mąż był tym wszystkim zdezorientowany, nie wiedział, co robić, tego nie przewidział, nie wyczytał z rachunków, nie miał pojęcia, czy w tej sytuacji jego mariaż nadal jest opłacalny, ktoś musiał pomóc to wyjaśnić, przekalkulować, tu już nie wystarczyła formułka o przemęczeniu, trzeba było specjalisty. Specjalista zdiagnozował narkolepsję. Róża przypomniała sobie tę nazwę, jej babcia lubiła sobie pospać za dnia, często przysypiała podczas rodzinnych imprez, przy jedzeniu, czasem w trakcie rozmowy, nazywali ją babcią Ziewanną, chociaż po prawdzie, nim zdążyła ziewnąć, już spała, wszyscy lekarze mówili, że to z powodu cukrzycy, nikomu nie przeszkadzało, że babcia Ziewanna sobie drzemie, czasem tylko pomagano jej przenieść się na fotel, żeby nie zrobiła dzięcioła prosto w tatar, dopiero kiedy nowy i młody pandoktór nadgorliwie rozpoznał senność narkoleptyczną, babcia Ziewanna tak się przestraszyła, że umarła, zanim pandoktór zdołał przekonać ją, że od tego się nie umiera. Róża dowiedziała się, że jest chora, a Pan Mąż nie mógł się nadziwić, że to musiało spotkać właśnie jego. Pan Mąż wziął specjalistę na stronę, przeprowadził z nim dokładny wywiad i dowiedział się, że przede wszystkim musi dbać o to, żeby jej się wyrównał rytm snu i czuwania – żeby się nie budziła w nocy, Pan Mąż zaproponował, że wieczorem będzie jej podawał pigułki nasenne, specjalista powiedział, że pigułki to powinna raczej brać w dzień, i to takie na pobudzenie, i że w ogóle trzeba uważać, bo narkolepsja wciąż jest słabo poznaną przypadłością. „Na domiar złego specyfika tego przypadku polega na tym, że pańska żona nigdy nie pamięta chwil sprzed zaśnięcia. Takie dziury w pamięci działają bardzo deprymująco. Rozumie pan: strach, podniecenie, silne emocje – ona to przeżywa, ale po przebudzeniu nic nie pamięta. Dlatego może ją dręczyć niedobór intensywnych wrażeń. Zaczyna ich szukać, a kiedy znajduje, zasypia, i tak koło się zamyka". Pan Mąż zapytał, jak w takim razie może jej pomóc. „Cierpliwością", odrzekł specjalista. Pan Mąż nie był człowiekiem cierpliwym, choć doskonale umiał przekonywać do cierpliwości swoich klientów, ze zdumiewającą zręcznością przekonując ich do tak zwanego myślenia długofalowego, dalekowzrocznego, do lokowania dużych kwot w jego banku z myślą o wzbogaceniu swoich dzieci, a może i wnuków, w każdym razie najlepiej na piętnaście, dwadzieścia lat, przez najbliższych piętnaście, dwadzieścia lat bank Pana Męża będzie się zasadniczo czule opiekował pieniążkami pana/pani, a po upłynięciu umówionego terminu wypłaci dużo, dużo większą kwotę wprost na pana/pani konto, oczywiście, jeżeli do tej pory nie wybuchnie wojna, zaraza, krach na giełdzie etc., bo gdyby pan/pani miał(a) nieszczęśliwie nie dożyć terminu wypłaty, to dzieci pana/pani kwotę odziedziczą; pomyślmy zatem przez chwilę w zadumie o naszych dzieciach, o tym, co im zostawimy poza chorobami dziedzicznymi, przecież nie chcielibyśmy, żeby dostały po nas w spadku długi.

Pan Mąż szybko się zniecierpliwił, myśląc o tym, że pojawiły się nieoczekiwane komplikacje i będzie musiał cierpliwie opiekować się Różą, nie licząc na to, że w najbliższym czasie urodzi im się dziecko, sytuacja była zbyt skomplikowana nawet na 0,27 dziecka, a zatem Pan Mąż odtąd zasadniczo opiekował się żoną, jednak obowiązki pozadomowe pochłaniały go na tyle, że nie miał już sił na czułość. Róża poczuła, że Pan Mąż ostygł, temperatura jego ciała gwałtownie spadła, przytulając się do niego w łóżku, marzła, kiedy do niej mówił, z jego ust wykruszały się kawałki lodu, Róża przeczuwała, że Pan Mąż rozgrzewa się gdzie indziej, pozadomowo, postanowiła to sprawdzić i wtedy właśnie zasnęła za kierownicą. Miała szczęście, ale samochód nadawał się na złom, brukowce skrzętnie skorzystały z okazji i zaczęły niewybrednie dociekać, z jakiegoż to powodu kobieta takiego formatu zasnęła za kierownicą, czyżby się zmęczyła małżeństwem; Pana Męża bardzo to zmartwiło, Róża zaczęła przynosić straty, w dodatku przedstawiono go tu i ówdzie w niekorzystnym świetle, odtąd interpretując po swojemu rady specjalisty, pilnował, żeby przez jakiś nieokreślony czas Róża nie wychodziła z domu, nieokreślony czas zaczął się wydłużać; życie Róży toczyło się między snem a podejrzliwością, nic przyjemnego, doprawdy.

Spójrzmy zatem na modelową sytuację, która ilustruje interesujący nas problem: Róża w koszuli nocnej wchodzi wieczorem do sypialni, widzi, że Pan Mąż pospiesznie kończy gmerać przy komórce, jakby dopisywał SMS-a, wyłącza telefon i odkłada. Róża wchodzi do łóżka, przytula się uwodzicielsko, odwraca uwagę Pana Męża i sięga po telefon, po czym siada na łóżku i próbuje go odblokować.

– Do kogo pisałeś?

– No przecież budzik nastawiałem, daj spokój.

– Zmieniłeś hasło? Odblokuj mi to.

– Kochanie, oddaj mi telefon.

– Chcę tylko sprawdzić, do kogo wysyłałeś wiadomość.

– Powinnaś zażyć pigułki.

Pan Mąż nauczył się już pozbywać kłopotu: zaczyna ją pieścić, całować, gryźć w ucho. Róża mięknie, poddaje się zabiegom miłosnym, nie wie, że Pan Mąż zabiega tylko o to, żeby szybko zasnęła; odpowiada na jego pieszczoty, przejmuje inicjatywę, a kiedy czuje, że frędzel Pana Męża osiągnął w jej dłoni swój maksymalny rozmiar, kiedy widzi, że Pan Mąż cały skutasiał, dosiada go, porusza rytmicznie biodrami i widząc, jak niepomiernie się dziwi, że dziś aż tak daleko zaszło i jest wcale przyjemnie, pyta:

– No i po co mnie zdradzasz? Źle ci ze mną?

Pan Mąż chciałby zaprotestować, obruszyć się, odpowiedzieć coś stanowczo, ale nie potrafi się skupić, mówi:

– Powinnaś zażyć pigułki...

– Nie chce mi się spać – mówi Róża i opada na niego, zamierając w bezruchu; Pan Mąż wie, co to oznacza, próbuje jeszcze szybko się w niej poruszać, ale przecież nie jest nekrofilem, Róża kompletnie nieprzytomna przydusza go całym ciężarem ciała, przed chwilą była lekka jak piórko, a teraz dociążona bezwładem przygniata go, Pan Mąż wydostaje się spod Róży, kładzie ją obok na łóżku, wyjmuje strzykawkę i ampułkę z szafki, przygotowuje zastrzyk, robi go Róży w pośladek (nie zdążyła połknąć pigułek, przez sen nie może ich połknąć, boby się udławiła; Pan Mąż musi uregulować jej rytm snu, przecież sam specjalista kazał), przykrywa ją kołdrą, sam zdejmuje piżamę i ubiera się do wyjścia, bierze kluczyki, włącza telefon i zaczyna wybierać numer, gasi światło, wychodzi z sypialni. Pan Mąż wie, że *coitus interruptus* prowadzi skrótem do nerwicy seksualnej, nie może sobie na to pozwolić, wsiada do auta i jedzie dokończyć pozadomowo to, co zaczął w ramach obowiązków małżeńskich.

Róża śpi nieprzytomnie, środek nasenny powoli przenika przez mięśnie do krwi, nie pozwoli jej się obudzić przed świtem; będzie się wtedy mogła przytulić do Pana Męża, patrzeć, jak głęboko śpi, taki bezbronny, zdąży mu przygotować śniadanie, a nawet trochę poczekać, bo Pan Mąż będzie zmęczony jak wół, wszak długo nie mógł zasnąć.

Źrenica się zwęża, powieka drży, chciałaby się zmrużyć, zasłonić, uchronić oko Róży przed świetlnym punktem, ale specjalista przytrzymuje, sprawdza reakcję, świeci latareczką; pstryk, latarka zgasła, teraz prosimy o kolanko, zgiąć, o tak, stukniemy młoteczkiem, nawiasem mówiąc, ma pani bardzo piękne nogi, pani Różo. Pan Mąż wezwał specjalistę, od czasu do czasu go wzywa, chciałby mieć pewność, że z Różą tak naprawdę nic złego się nie dzieje, że jego metody regulowania rytmu są właściwe, poza tym żona musi się komuś poskarżyć, specjalista rozumie, jest przecież Psychiatrą, kublem bez dna, w którym codziennie lądują setki skarg i zażaleń, czasem ledwie zrozumiałych, czasem zupełnie absurdalnych, ale on musi traktować je z niezmienną powagą, sprawiać wrażenie zasłuchanego i zatroskanego, rozmowa z Różą to dla niego rzadki przywilej, Róża jest pięknością największego formatu, gwiazdą może teraz nieco bledszą niż na billboardach, ale tym większa gratka, że to on może jej pomóc odzyskać dawny blask, Róża mówi dorzecznie i rozsądnie, Psychiatra bardzo lubi jej głos, mógłby go słuchać znacznie dłużej i częściej, niż mu to przysługuje; Psychiatra na co dzień zawodowo słucha wielu pacjentów, ale wsłuchuje się tylko w głos Róży.

– Nigdy nie pamiętam, kiedy zasypiam. Czasem mam tak, że... już się obudziłam, ale jeszcze przez jakiś czas nie mogę się poruszyć, nawet otworzyć oczu, jakbym była sparaliżowana, to jest potworne uczucie... Poza tym już wymiotuję tym... spokojem. Siedzę tu całymi dniami... Chcę wrócić do pracy, do ludzi... Do życia... Już od tej ciszy tutaj mózg mi pęka.

– Trzeba jeszcze troszeczkę poczekać. Pani przypadek wymaga stałej obserwacji, moglibyśmy panią przenieść do szpitala, ale tam naprawdę nie będzie takich dobrych warunków. Ma pani troskliwego męża, wspaniały dom...

Psychiatra biczuje się wspomnieniem troski Pana Męża, chciałby być na jego miejscu, chciałby zabrać stąd Różę i samemu stać się jej domem, Psychiatra wie, że ludzie tak naprawdę mogą mieszkać tylko w innych ludziach, wie, że depresja to nic innego, jak bezdomność, na depresję cierpią ludzie, którzy nie mają w kim mieszkać, Psychiatra ma nadzieję, że Róża sama to zrozumie, stara się ją naprowadzać, delikatnie, ostrożnie; uwaga, udało się, Róża, słysząc o Panu Mężu, wstaje, przechadza się, ależ jest piękna, Psychiatra chciałby ją zaprosić do siebie, mogliby wtedy zamieszkać w sobie nawzajem, ubolewa nad tym, że poznał ją dopiero jako pacjentkę; cicho, Róża chce coś powiedzieć:

– Panie doktorze... Czy to jest normalne, kiedy ktoś ma sen, który się powtarza, ciągle ten sam, chociaż się go nie chce?... I wszystko w nim jest takie... realne.

– Mhm, to jest możliwe... A jakiż to sen panią prześladuje?

– Śni mi się, że mój mąż jest... cholernym sukinsynem.

4

Dyrektorowie banków nie są do końca zadowoleni, że muszą podróżować koleją, choć to jedyny rozsądny sposób uniknięcia korków na wiecznie remontowanych drogach. W tym kraju nigdy nie będzie można nabrać rozpędu, bo tu się remontuje drogi, zamiast budować autostrady; raz sfuszerowane drogi wymagają ciągłej naprawy, inaczej całkowicie zatkałby się krwiobieg, przecież ludzie muszą mieć choć jedną wąziuteńką żyłkę przebudowywanej autostrady, żeby im się wydawało, że mają po czym jeździć w oczekiwaniu na budowę sieci autostrad; raz sfuszerowane drogi wymagają nieustającej naprawy, a to wymaga czasu i pieniędzy, najlepiej ściągać je na bramkach z kierowców wiernych ulubionej starej autostradzie (nie mogą jej zdradzić z inną, bo innej nie ma), dbać o to, by choć jedna jej żyłka była drożna, tak by wierni kierowcy pozostawali w ruchu i wydawało im się, że jadą, tak by, jadąc, mieli nadzieję, że dojadą na czas; muszą mieć utrzymywany stały poziom nadziei, inaczej nie godziliby się płacić, omijaliby starą, wysłużoną autostradę albo zjeżdżali z niej przed kolejnym punktem płatniczym; na wszelki wypadek tablicę z elektroniczną informacją o korku ustawiono tuż za zjazdem z autostrady, tak by pędzący ku rozpędzeniu kierowca nie mógł odczytać ostrzeżenia zbyt wcześnie i ewakuować się na inną drogę; zaraz, kto powiedział, że to tablica ostrzegawcza, ona wyłącznie informuje: drogi kierowco, nie rozpędzaj się, za dwa i pół kilometra będziesz musiał zwolnić, a nawet przystanąć, niestety właśnie minąłeś ostatni zjazd przed korkiem, jeśli się spieszysz, to masz problem, mogłeś jechać pociągiem, wszyscy rozsądni ludzie w tym kraju tak robią. Rozsądni ludzie, a zwłaszcza dyrektorowie banków, nie są do końca zadowoleni z warunków podróżowania koleją, przyczyn jest wiele i stale ich przybywa, weźmy na ten przykład ulubione przez dyrektorów banków wagony restauracyjne, w których z niewiadomych przyczyn od pewnego czasu wprowadzono prohibicję, można sobie wypić małe bezalkoholowe piwo w cenie zwykłego dużego, i to na stojąco, bo przy stołach dla ośmiu osób są tylko dwa na stałe przymocowane taborety przy oknie, zawsze zajęte, na domiar złego przez większą część roku panuje tu nieznośny skwar, wagon restauracyjny jest wagonem specjalnej troski grzewczej, trzeba więc zdjąć nie tylko płaszcz, ale i marynarkę, i nie bardzo wiadomo, co z tym wszystkim zrobić, bo w wagonach restauracyjnych wieszaków nie ma, ale zostawmy to, rozsądni ludzie niebawem w ogóle przestaną podróżować po tym kraju, są bowiem inne, dużo łatwiejsze i mniej męczące, do których nic już nie ogranicza dostępu, rozsądni ludzie zadadzą sobie pytanie, co każe im wybierać życie i dużo mniejsze zarobki w państwie, które nie jest im pomocne, w państwie, które zamiast im służyć, czyni wstręty i trudności wszędzie, gdzie to tylko możliwe, w państwie, które jest jak zapijaczony i bijący mąż, który raz w tygodniu idzie się wyspowiadać, zżera opłatek i czuje się oczyszczony z grzechów, a potem wymaga spełniania małżeńskich obowiązków; dyrektorowie banków poczekają, aż wszyscy rozsądni ludzie wyprowadzą się do przyjaźniejszych krajów, wtedy będą mogli zająć zwolnione miejsce na taborecie przy oknie; dyrektorowie banków są z tym męczącym krajem związani interesami i kapitałem, który zbijają na ludziach nierozsądnych, ci zostaną tu aż do śmierci, często przedwczesnej, ich sfrustrowane serca poprują się przed wypłatą długofalowej lokaty, będą musieli ją zlikwidować przed czasem, tracąc szansę na wyczekiwane wzbogacenie, ale trudno, na zdrowiu się nie oszczędza, operację trzeba przeprowadzić w najlepszej klinice, oczywiście prywatnie, poprutym sercom należy zapewnić najlepszego krawca. Ludzie nierozsądni też czasem jeżdżą koleją, łatwo ich odróżnić już na dworcu, kiedy pokonują wiecznie nieruchome schody ruchome i wcale ich to nie dziwi; jeśli przestała im przeszkadzać wieczna nieruchomość ruchomych schodów, to znaczy, że nigdy stąd nie wyjadą, będą śpiewać patriotyczne pieśni ku pokrzepieniu dusz, wszak trzeba nadać jakiś sens cierpieniu. Nierozsądni ludzie w przeciwieństwie do dyrektorów banków noszą przy sobie gotówkę, na dworcu są zatem najbardziej narażeni, dyrektorowie banków w ogóle nie interesują młodziaków z foliowymi reklamówka-

mi, którzy rozproszeni w dworcowym tłumie selekcjo-
nują ofiary kradzieży; dyrektorowie banków mają
w portfelach tylko karty kredytowe, razem z kartą trzeba by było ukraść samego dyrektora i zmusić go do po-
dania kodu, takie przedsięwzięcie jest raczej niewyko-
nalne, w dodatku groziłby im za to poważny paragraf;
dworcowi złodzieje mają znakomicie przemyślaną strategię działania, doskonale rozpoznają ludzi nierozsądnych, którzy mają przy sobie gotówkę, zespołowo działają tylko w szczególnych przypadkach, kiedy wyjątkowo
nierozsądny człowiek, kupując gazetę i gumę do żucia,
okazał wyjątkowo cenną zawartość portfela, dworcowi
złodzieje współpracują z kilkoma straganiarzami i jednym kioskarzem, jak ktoś kupuje gazetę i gumę, rozmie-
niając stówkę, mówi mu się, że nie będzie z czego wy-
dać, niech dobrze poszuka, nierozsądny człowiek posłusznie wykonuje polecenie, grzebie w poszukiwaniu
drobnych, tymczasem kioskarz daje znać chłopakom, że
szykuje się grubszy numer, wyjątkowo nierozsądny człowiek nie musi już nawet pokazywać wnętrza portfela,
licząc na zrozumienie: „No nie mam, widzi pan, dzisiaj
jakoś same grube", kioskarz, udając niezadowolenie,
wydaje mu resztę, wyjątkowo nierozsądny człowiek jest
zadowolony, że udało mu się kupić gazetę i gumę do
żucia mimo wszystko bez jakichś większych problemów,
człowiek nierozsądny jest z siebie zadowolony, ilekroć
cokolwiek uda mu się zrobić bez większych problemów
w kraju nader problematycznym, wyjątkowo nierozsądny człowiek czeka już na peronie, chłopcy porozumie-

wają się dyskretnie, pociąg przyjeżdża, ludzie tłoczą się przy wejściu, chłopcy są wśród nich, człowiek nierozsądny musi się przepychać, chciałby jak najprędzej znaleźć wolne miejsce w przedziale, wreszcie mu się udaje, siada, wiesza płaszcz, czuje ulgę, znowu się udało, jest z siebie bardzo zadowolony, zaraz sobie wygodnie pojedzie, o, pociąg już ruszył, teraz musi zadzwonić do żony i powiedzieć, że zdążył, znalazł miejsce, zaraz, gdzie jest komórka, Boże, gdzie jest portfel, przecież tam były wszystkie dokumenty; portfel i dokumenty leżą już w koszu na śmieci, szukają nowych przyjaciół wśród papierków, puszek i skórek od bananów, pieniądze i telefon komórkowy już zasiliły dniówkę chłopców z reklamówkami, kioskarz dostał prowizję, to była piękna, finezyjnie przeprowadzona akcja całego zespołu, zobaczmy sobie powtórkę. Jakaś mamuśka spieszy się na pociąg, ale chyba nie tak bardzo, bo zagląda do straganów z kosmetykami, firmowe, ale jakoś dużo tańsze, mamuśka widać wyjątkowo rzadko bywa na dworcu, raczej zwykła używać auta, ale może ostatnio nie najzgrabniej parkowała i ktoś jej teraz wyklepuje blachę na warsztacie, a tu akurat podróż wypadła, mamuśka ma torebkę, która wygląda naprawdę nieźle, modna, ale bardzo niepraktyczna, portfel ledwie się mieści, a zatrzask wiecznie odpina, mamuśka co prawda ciągnie za sobą dziewczynkę, a dzieci bywają spostrzegawcze, ale i ten problem jakoś uda się rozwiązać; dziewczynka bardzo chciałaby, żeby jej coś kupić, to znaczy przede wszystkim tego misia, bierze do ręki, pan zachęca, mamuśka szarpie za rękę i szczeka do córki: „Zostaw to!", mamuśka chciała-by przed podróżą zajrzeć jeszcze do kilku straganów z kosmetykami, bo aż jej się wierzyć nie chce, że takie okazyjne ceny, czy to aby nie podróbka, ależ skąd, pszepani, co też pani mówi, oryginałki, jak Boga kocham, niech pani sobie skropi, powącha, no, ale czemu takie tanie, promocja, pszepani (straganiarz chętnie by wytłumaczył mamuśce, jak się robi biznes, do tego trzeba mieć smykałkę, smykałka pomogła mu załatwić stały dostęp do darmowych testerów, potem już poszło z górki, w biznesie liczy się pomysł wyjściowy i smykałka, chętnie by o tym pogadał z mamuśką gdzieś poza dworcem, nawet mu się ona podoba, ale niestety chłopaki dali znać, że się nią zajmą, no trudno), dziewczynka zerwała się z uwięzi i wróciła do misia, to tylko sąsiedni stragan, mamuśka zaraz ją stamtąd zabierze i nawet klepnie w tyłek, wszak powiedziała, żeby misia zostawić, już zaraz za nią popędzi, jeszcze tylko sobie powącha ten tam flakonik, nie ten, no przecież pokazuje, że ten drugi; teraz jest idealny moment, jeden z chłopaków odpina torebkę, wyjmuje portfel, dziewczynka właśnie się odwróciła, żeby pokazać innego misia, którego jej zaproponowano, widzi, że jakiś pan okrada mamę, piszczy, krzyczy, cóż za pech, mamuśka zauważa, co jest grane, łapie chłopaka za rękę, woła policję, chłopiec się wyrywa i ucieka, ludzie próbują mu zagrodzić drogę, psiarnia gwiżdże, zbiega się, gonią go, chłopiec biegnie szybko, ale w stronę wysokiego muru, policjanci czują, że im nie umknie, głupek, co on robi, ano wie, co robi, bo wybija się, skacze saltem przez betonowy parkan i już go nie ma, jak ten gnojek to przeskoczył, policjanci próbują się wspiąć, jeden staje na drugim i gramoli się, strata rośnie, ten wyścig został przegrany, chłopiec jest wolny, chociaż kontuzjowany, tyle lat treningów i taki frajerski upadek, może trochę przeszarżował, to nie były zawody, teraz trudniej mu biec, bo nie wiadomo, czy żebra bardziej bolą, czy ręka, ale jeszcze tylko przechodnia klatka schodowa i można się wmieszać w uliczny tłum, tu go nikt nie wyłowi, zwalnia, udało się, chociaż chłopak wykrzywia twarz z bólu; zaraz, ależ tak, przecież to chłopiec, a nawet mężczyzna.

(Gdzie w takim razie jest Adam? Spróbujmy mu dać drugą szansę.)

Adam zmienia obuwie, wkłada swoje nowe tenisówki, domyka szafkę, dopina kitel, przechodząc przez gabinet, zauważa na stole niedopitą przez któregoś z lekarzy herbatę, rozgląda się, czy nikogo nie ma, szybko wypija łyk, jeszcze nie całkiem wystygła; Adam, od kiedy wynajął mieszkanie niedaleko miejskiego szpitala, utrzymuje się tylko z pensji stażysty, co wymusza bardzo przemyślaną strategię oszczędności, rzecz jasna, krótkofalowej, Adam oszczędza tak, żeby mu nie zabrakło do pierwszego, dyrektorowie banków nie mają tu czego szukać, dla dyrektorów banków Adam nie istnieje, chyba że stanie się coś, czego w swoich biznesplanach nie przewidzieli, i nagle zostaną przywiezieni na oddział, tylko w takim przypadku Adam będzie mógł dla nich zaistnieć jako ten młody lekarz, który akurat miał dyżur i uratował im życie, zostawią mu wtedy kopertę z zapasem wdzięczności i przeniosą się do prywatnej kliniki, wróćmy jednak na ziemię, na razie żaden dodatkowy zapas wdzięczności nie zasilił konta Adama, wobec czego musi żyć tanio i oszczędnie, taka jest kolej rzeczy, w końcu to dopiero początek, każdy kiedyś zaczynał jako stażysta i gonił w piętkę, żeby przetrwać, w przyszłości kariera Adama będzie mogła się rozwinąć, zacznie zarabiać więcej, zrozumie, że medycyna to też całkiem niezły biznes, choć na razie wcale się na to nie zanosi; jakkolwiek to brzmi naiwnie, Adam powtarza, że to dla niego szczęście móc leczyć ludzi, służba i misja, Adam jest idealistą, istnieje poważne zagrożenie, że z takim podejściem nigdy się nie dorobi, zawsze będzie dopijał herbatę po kolegach, a w domu wypije lurę z powtórnie zalanej torebki; Adam nauczył się żyć tanio i oszczędnie. Ojciec byłby z niego dumny, choć tak po prawdzie, kiedy postanowił całkowicie wstrzymać mu jakąkolwiek pomoc finansową, kiedy zabronił Matce wysyłać paczki, a nawet udzielać przez telefon praktycznych informacji, myślał, że wyprowadzka Adama do miasta potrwa niewiele dłużej niż jego pobyty w zastanawialni, miał cichą nadzieję, że syn skruszony zrozumie wagę i sens ojcowskiego wsparcia, dzięki czemu będzie mógł docenić to, co dla niego zrobili, Ojciec wciąż nie pojmuje, jak można było wzgardzić jego gestem, Matka co prawda przeczuwała, przestrzegała, że dom to trochę za dużo na niespodziankę, ale Ojciec się upierał, że jego gest musi być zamaszysty, no i cóż, dom pusty stoi, sobie a wiatrom wyjącym w szczelinach zamkniętych okiennic, a Adam na razie jakoś sobie radzi, usamodzielnił się, to ma swoje plusy, w zasadzie Ojciec mógłby być z niego dumny, gdyby zobaczył, jak zaradny i oszczędny stał się jego syn, być może nawet w końcu zmięknie i przyjedzie go odwiedzić, wszak Matka ciągle nakłania, żeby się wybrali z wizytą. Tymczasem Adam idzie przez szpitalny korytarz, dziś ma dyżur w izbie przyjęć, ale zostało jeszcze parę chwil, więc zagląda do pokoju lekarskiego, starsi koledzy właśnie studiują jakieś zdjęcie rentgenowskie, Adam przygląda mu się uważnie, marszczy brwi, pyta, czyj to szpiczak, starsi koledzy jeszcze czasem z niego sobie dworują, przecież jest nowy, nowy, a już parę razy błysnął wiedzą i intuicją, to się nie może podobać, no, w każdym razie nie od razu, starszy ze starszych kolegów rozumie niepokój w głosie Adama, nowotwór jest ewidentny, a sytuacja terminalna, starszy ze starszych kolegów zdaje sobie sprawę, że to naprawdę szpetny przypadek, trzeba będzie jakoś to powiedzieć pacjentowi, to niełatwe i bardzo wyczerpujące doświadczenie, starsi koledzy nie przespali już w życiu wielu nocy, myśląc o tym, jak przygotować człowieka na śmierć, Adam jest nowy, będzie się musiał tego nauczyć, w szpitalu nie wystarczy wiedza i intuicja, trzeba mieć odporną psychikę, Adam musi się sprawdzić, w najbliższym czasie przeznaczą mu kilka zadań specjalnych, skoro taki szczęśliwy ględzi o służbie i misji; tymczasem jednak Adam musi iść na izbę przyjęć, bo rośnie kolejka.

Czas na cudowny zbieg okoliczności. Na ławce siedzi chłopiec, a nawet mężczyzna, wygląda na to, że się zdrowo poobijał. Adam natychmiast go rozpoznaje, zapamiętał go jako ładnego chłopca, a nawet mężczyznę, rozpoczynając szpitalny staż na urazówce, myślał, że przecież tacy ładni chłopcy lubią sobie po męsku pobrykać, i tak brykając, mogą sobie coś złamać, to całkiem logiczne, jeszcze się taki nie uchował, co by, brykając, niczego nie złamał, nie zwichnął, a przynajmniej nie skręcił, dlatego Adam brał dyżury na urazówce, jak leci, także zamiast kolegów, wyczekując dnia, w którym trafi do niego ten ładny chłopiec, a nawet mężczyzna, nazywał go w myślach swoim Pięknisiem, skorzystajmy więc z okazji, by sobie uprościć sprawę, odtąd chłopiec, a nawet mężczyzna będzie po prostu Pięknisiem, zwłaszcza że Piękniś może odegrać w tej historii znaczącą rolę, jeśli tylko nie przypomni sobie, że Adam to ten pedał z autobusu, który się do niego dostawiał. Tak się jednak składa, że Piękniś prowadzi dość intensywny tryb życia, obfitujący w stresy i wydarzenia dużo bardziej zapadające w pamięć niż ręka pedała w autobusie, Piękniś jest chłopcem po przejściach, dlatego czasem widać w nim mężczyznę. Nie ma obaw, Piękniś nie rozpozna Adama, ma na głowie poważniejsze kłopoty, zarabia na chleb, wykonując zawód wysokiego ryzyka, ostatnio omal nie dał się złapać psiarni, to wcale nie takie proste łoić frajerów po dworcach tak, żeby psiarni nie wpaść w oko, poza tym trzeba uważać, żeby nie przedobrzyć, najlepiej kraść często, ale małe kwoty, w razie czego niska szkodliwość społeczna będzie po jego stronie, wykroczenie to zupełnie inna para kaloszy niż przestępstwo, to naprawdę niełatwe tak kraść, żeby nie popełniać przestępstw, tylko wykroczenia. Po godzinach Piękniś ćwiczy z kumplami na dzielni brejkdens, są w tym naprawdę nieźli, niektórzy nawet definitywnie porzucili łobuzerkę, żeby mieć więcej czasu na trening, od kiedy zaczęli wygrywać zawody, to się opłaca, Piękniś ma talent, chociaż trochę się leni, na zawodach wciąż pozostaje w cieniu kumpli, ale trening przydaje się w innych okolicznościach, biboje są bardzo gibcy, uciekanie przed psami na zatłoczonym dworcu, kiedy wszyscy chcą ci podstawić nogę, to naprawdę sport ekstremalny, Piękniś imponuje gibkością kumplom z dworca, często szarżuje i po prostu wyrywa mamuśkom torebki, żeby móc zrobić ucieczkową pokazówkę. No i połamał się, ale hardy jest, nie poszedł na pogotowie, dopiero jak mu ręka spuchła i nie mógł tak się położyć, żeby żebra nie bolały, przyszedł do lekarza, proszę bardzo, siedzi, czeka na swoją kolej, nie wie, że Adam też już nie może się na niego doczekać, choć sumiennie sprawdza wszystkich pacjentów, nie może sobie pozwolić na niedokładność, bo przecież służba, misja, on naprawdę tak myśli, pacjenci już go polubili, niedługo zaczną przynosić koperty.

Cud się ziścił, krzepki byczek siedzi przed nim półnagi na kozetce, Adam może, a nawet powinien go teraz dotknąć, namacać, nastawić, naprawić, może to robić jawnie, to jego prawo, a nawet obowiązek, Adam jest przecież lekarzem, w tej oto cudownej sytuacji jest lekarzem i tylko lekarzem, ale jak tu dotknąć Pięknisia, na którego tak długo czekał, i nie stracić kontroli nad sobą, jak go zbadać i się nie przytulić, Piękniś czeka, by powierzyć mu kości, a nawet ciało, półnagi Piękniś nie ma na torsie ani jednego włoska, Adam nawet nie śmiał marzyć o takiej chłopięcości w mężczyźnie, naga i gładka klatka piersiowa Pięknisia jest posągowo umięśniona i miarowo porusza się w rytm zdrowego oddechu, brodawki mu stwardniały, przez uchylone okno wpada świeże powietrze i gwarne chichoty z placu zabaw, Boże, jakiż twardy musi być każdy jego mięsień, myśli Adam i wkłada cienkie gumowe rękawiczki, choć wolałby je przed Pięknisiem ściągać jak Rita Hayworth w *Gildzie*, wolałby uzmysłowić chłopcu zmysłowość, wolałby dotknąć jego chłopięcej męskości gołą ręką, wie jednak, że wtedy rozkleiłby się, dałby po sobie poznać słabość do Pięknisia i stracił jego zaufanie, tylko jako lekarz może obserwować to ufne oddanie, powierzenie kości i ciała; Adam chciałby oblizać wszystkie rany chłopca.

Zaczyna go dotykać, uciskać, żeby sprawdzić miejsca ewentualnych złamań, tu cię boli i tu, i tu, mój biedny bolesny Pięknisiu, któryś cierpiał rany, zmiłuj się nade mną, daj się pomiłować, czy kiedykolwiek ktoś dotykał cię tak delikatnie, czy zaznałeś takiej czułości, chyba nie, Pięknisiu, bo mrużysz oczy, zadrżałeś, lecz przecież nie z bólu, moje dłonie złagodzą twoje bolesci, znam się na cudzym bólu tak, jak ty na własnym, cały jesteś w bliznach, pełno na tobie śladów pól bitewnych, pożogi, klęski i sromoty, czytam z twoich blizn jak z naskalnych rytów, jesteś Pięknisiem z historią, tyle bólu ci zadali niedobrzy ludzie, że się od niego uzależniłeś, jak cię nie boli, to nie czujesz, że żyjesz, prawda, mój Pięknisiu, ty się bólu nie boisz, ty się boisz pieszczot, boisz się, bo ich nie znasz, przyjemność osłabia czujność, odwraca uwagę, ktoś mógłby się do ciebie włamać, okraść z ciebie samego, to niebezpieczne, ty jesteś swój, swój chłopak, a nawet mężczyzna, swój, a nawet mój Pięknis, jesteś teraz jak piesek z azylu, który nie wiedział, że ludzka ręka może nie bić, tylko głaskać, ugłaskałem cię, Pięknisiu, domyślasz się chyba, że już dawno ustaliłem, co ci jest, już dawno powinienem cię odesłać na gipsownię, już od kilku minut jesteś łaskaw dawać się głaskać, popatrz, zdjąłem już rękawiczki. Adam zauważa, że nie zauważył, kiedy mu się zdjęły rękawiczki, och, trzeba to natychmiast przerwać, przywołać do porządku lekarza, gdzie się zapodział lekarz w Adamie? Należy teraz przemówić po lekarsku, bo Pięknis gotów sobie pomyśleć, że dokonało się tu coś więcej niż rutynowe badanie. Trzeba łagodnie zaprzestać, żeby nie zbudzić w Pięknisiu psa wściekłego, że uległ podstępnie czułej ręce, Adam boi się, że kiedy przestanie głaskać, będzie ugryziony, w Pięknisiu drzemie straszliwa siła, Adam wyczuwa ją przez skórę, chciałby tej siły zaznać, o Matko Boska Otworna, Zagrzewna i Ożywiająca, chciałby, jakkolwiek jeszcze nie teraz, teraz trzeba chłopca poskładać, posklejać, zabliźnić.

– Nie ma rady, ręka pójdzie do gipsu, klatkę piersiową zabandażujemy, raczej nie poszalejesz w najbliższym czasie.

Piękniś jest zły, ale udaje jeszcze gorszego; domyślał się przecież, że to coś poważnego, z byle skaleczeniem do lekarza by nie przyszedł. Piękniś jest zły, bo ten doktorek, w którym pedała czuć na kilometr, dotykał go jakoś tak nieobleśnie, pozytywnie, tak by sobie jeszcze mógł posiedzieć na tej kozetce, teraz już wie, czemu Dziara lubi chodzić na masaże, Piękniś myślał, że to czyste szpanerstwo; tylko że ten doktorek zrobił mu raczej macaż niż masaż, Piękniś dał mu się zmacać i na domiar złego poczuł się z tym dobrze, mężczyzna szamocze się w chłopcu, Piękniś musi teraz okazać gniew, uważaj, doktorku, posłuchaj brutalnej kwestii, którą wygłasza mężczyzna przez megafon chłopca:

– Kurwa, do gipsu? W przyszłym tygodniu miałem jechać na zawody...

Ale chyba nie dość groźnie to zabrzmiało, w dodatku doktorek może zapytać, o jakie zawody chodzi, to dobry pretekst, żeby rozpocząć dłuższą rozmowę, nawiązać znajomość, Piękniś sam sobie nie wierzy, że taki się zrobił przy doktorku niebrutalny, właściwie mu się podłożył, lepiej już wyjść stąd ze skierowaniem, na wszelki wypadek zamykając drzwi mocniej, trzaskając nimi właściwie, aż kobity w poczekalni łypną na niego niesympatycznie.

– I co się gapisz, stara rozklapicho?!

Piękniś poza gabinetem Adama znów jest swój, udało mu się do siebie wrócić.

Magnetofon daje czadu na pełny regulator, chłopaki tańczą do pokahontas, a Piękniś stoi jak ten chuj i może się tylko przyglądać, dla niego już jest po zawodach, a niechby mu który coś głupiego powiedział, jebnie mu z gipsu i nos połamie. Piękniś wygląda na złego, a jest jeszcze gorszy: ani zawodów, ani jumy, do niczego się nie nadaje, chłopaki wolą go nie prowokować, pocieszyć też się nie da za bardzo, bo nie ręka złamana go boli najbardziej, nie żebra potłuczone, kontuzje to normalka, Pięknisia coś gryzie głębiej, chłopaki nie wnikają, chłopaki tańczą. Piękniś jest bardziej niż zły, i to na siebie, żebra go bolą przy głębokich wdechach, akurat teraz musiało mu się zebrać na wzdychanie, nie może dłużej wytrzymać tych akrobacji, chłopaki jadą po mistrzostwo, nigdy jeszcze nie byli tacy dobrzy, Kolo, od kiedy zapuścił dredy, kręci się na głowie jak pojebany; Piękniś zostawia swoją kompanię, wychodzi na ulicę, patrzy na ludzi, rozgląda się, szuka (kogo szukasz, Pięknisiu, nie wstydź się, powiedz); Piękniś zaczyna się siebie bać, bo jego skóra tęskni (za kim tęskni, nie bój się, odpowiedz), twardy to Piękniś jest już tylko w gipsie, rozkołatał się, rozpulsował, rozszamotał, mnie w kieszeni karteczkę z adresem i telefonem, którą zostawił mu na wypadek, gdyby coś (kto ci ją zostawił, Pięknisiu, wyciągnij, pokaż nam, przeczytajmy), doktorek, który ma na imię Adam; Piękniś jeszcze raz sprawdza adres.

Adam wraca po dyżurze, nie jest zbyt spostrze-
gawczy, gdzie spojrzy, widzi pościel, w niej, umęczony,
niebawem się zagrzebie, już nawet po pieczywo nie zachodzi, już nawet o Pięknisiu nie ma siły myśleć, właśnie
o to chodziło: tak się zaharować, żeby nie mieć siły myśleć o chłopcu, o mężczyźnie, którego opatulił raczej,
niż opatrzył, osobiście, ciałosiernie i miłościowo owija-
jąc bandażem tors hardy i uległy zarazem, i choć żegna-
jąc się z chłopcem, pozwolił sobie zostawić mu adres
i telefon, w razie gdyby coś, znaczy, się działo, wie, że
póki Pięknіś się nie zrośnie, Adam nie będzie miał okazji,
żeby go spotkać. Mógłby jeszcze liczyć na łut szczęścia,
po to przecież wynajął mieszkanie w dzielnicy niesławnej, w tym nie bardzo podłym mieście wyszukał najbardziej parszywy dystrykt, dzielnicę pełną rozbrykanych
chłopców i nieprzytomnie pijanych mężczyzn, wcale nie
tak blisko szpitala, ale tanio i z większym niż gdzie indziej prawdopodobieństwem natknięcia się na chłopca,
a nawet mężczyznę, teraz już zwanego przez nas Pięknisiem. Oto i natknąłby się, łut szczęścia dziś mu dopisuje,
natknąłby się, gdyby zauważył, że Pięknіś z wymiętą kar-
teczką w kieszeni nie tak znów doskonale się schował
w bramie sąsiedniej kamienicy, wpasował się po prostu
dość sprytnie we wnękę, zdolność mimikry jest jedną
z przydatniejszych umiejętności w jego profesji, Piękni-
niś jest zdolnym złodziejem, ale to na co dzień, dzisiaj
jest nieśmiałym chłopcem, a nawet mężczyzną, który
zaczaił się po to, żeby niby przypadkiem wpaść na doktorka wracającego z pracy, zagadać, a potem sam nie

wie, co dalej, jeszcze nic nie wymyślił, ciężko mu się myśli, przez ten gorsecik z bandaży nie może nabrać głęb-
szego oddechu, o właśnie, zapyta go, czy może to zdjąć
albo chociaż poluzować; zapytałby, gdyby został zauważony. Adam mija go i dochodzi do swojej kamienicy, nie
ma nawet siły pogadać z sąsiadem, który uparapeciwszy
się, na dobre czeka słowo; sąsiad całe dnie spędza na pa-
rapetingu, aktualnie na bezrobociu ma dużo czasu, żeby
obserwować ulicę, mości sobie poduchę i patrzy, czasem zmienia go żona obecnie bezrobotna, bywa, że razem się w oknie usadawiają, kiedy młody w szkole i nie
ma przy nim roboty, wolą tak z okna niż przy telewizo-
rze, w telewizji nic ciekawego nie leci, same powtór-
ki, kiepskie seriale, w których nieprawdziwi policjanci
gonią nieprawdziwych złodziei, bandytów i morderców,
oni to mają z okna na żywo i bez abonamentu, policja
jest jak najbardziej prawdziwa, zapuszcza się tu z rzad-
ka i niechętnie, a już w życiu nikt nie widział policjanta
biegającego, biegający policjant to jest amerykańskie
kino, w tej dzielnicy policjanci boją się wysiąść z auta,
patrol polega na tym, by tak kluczyć ulicami, żeby nie
wpaść na jakieś wykroczenie, a już uchowaj Boże przestępstwo, w tej dzielnicy policjanci reagują na zgłosze-
nia niechętnie i niespiesznie, z jedynki na dwójkę i bez
koguta, może tymczasem wszystko się ułoży, ten pan
jednak nie wyrzuci tamtej pani z okna, wrzaski dziecka
za ścianą ucichną, ci, którzy kogoś tam bili na skwerze
przestaną w porę kopać i rozejdą się, ten, którego sko-
pano, zdąży się pozbierać i wrócić do domu, a jeśli stra-

83

cił przytomność, to przede wszystkim sprawa pogotowia, przecież nieprzytomnego nie będą przesłuchiwać; gdyby policjanci reagowali w porę na każde zgłoszenie w tej dzielnicy, drastycznie spadłyby im statystyki wykrywalności, reagować pospiesznie tym bardziej nie mają zamiaru, kto by chciał za takie pieniądze narażać życie. Sąsiad zwraca uwagę na kilku tymczasowo trzeźwych i przytomnych mężczyzn, wtaczających właz ze studzienki kanalizacyjnej na wózek i uciekających z nim pospiesznie:

– Tera już nawet w bioły dziyń guliki kradnom, pierony. Potym człowiek bydzie szoł po ćmoku do dom i jeszcze szłapa złamie.

Kiedy żona sąsiada jest akurat czymś zajęta wewnątrz mieszkania, sąsiad relacjonuje jej na bieżąco wszystkie uliczne atrakcje. Brak atrakcji także.

– Pitli. Tyn młody doktór już prziszoł do dom. Jo go nawet lubia, ty wiys, że łon nie kurzy, ale cygarety nosi, jakby fto łod niego chcioł. Terozki ni ma nikogo, ino tyn pies zaś loto, tyn ślepy na jedne oko. Wonio nom w bramie, zaś musieli najscać te bajtle. Synek łod Majzlów z balom idzie bez ulica, chyba do nos, po modego. Niy, poszoł kaj indzij.

Żona sąsiada akurat pomaga synkowi w zadaniu z matematyki, no dobrze, nie pomaga, tylko nadzoruje wykonanie, sama nie ma zielonego pojęcia, o co chodzi w trygonometrii, synek już skończył dwie klasy więcej od niej, i bardzo dobrze, chodzi do szkoły, żeby z niej wyjść na ludzi, trzeba go pilnować, na razie dobrze mu idzie, żona sąsiada lubi chodzić na wywiadówki, bo chociaż te wszystkie mamunie lalunie przychodzą prosto z galerii handlowej wysztafirowane na zicher, to jej synek ma lepsze oceny od ich pociech, nawet doucza słabszych, jak pani kazała, niedługo będzie zarabiał na korepetycjach więcej, niż oni mają z zasiłku; teraz się rozproszył, bo ten od Majzlów z piłką.

– Mamo, moga iś naplac?

– Zadanie mosz, zrobisz, to pódziesz.

– Mama, potym łodrobia...

– Ty pieroński podciepie, niy rozumiesz, co sie do ciebie godo?! Łodrabiej to bez godki, bo bydziesz mioł tygodniowo sztuba!

Syn zaczyna chlipać, przecież dopiero co wrócił ze szkoły, przydałoby mu się trochę odpoczynku, matka siedzi cały dzień i się nudzi, więc nie zna zmęczenia, ojciec okazuje się pojętniejszy:

– Dej mu pokój. Jak bydziesz po nim ryceć, to nic nie zrozumi. Puć sam, synek.

Mały natychmiast z głośnym szurnięciem odsuwa krzesło i podbiega do ojca; a ten, nie opuszczając stanowiska obserwacyjnego, wyjmuje z kieszeni parę monet.

– Kopnij mi sie po fajranty, za reszta kup bombony.

Dzieciakowi nie trzeba dwa razy powtarzać, biegiem omija matkę, która próbuje go złapać, a potem wrzeszczy na męża (jej imponujący sopran marnuje się w tej norze; cała ulica w jednej chwili zamyka okna):

– Kaj ty go do sklepu wysyłosz, jak łon zadanie mo na jutro i nic ta łamaga nie umi!!!

Dość już tej drugoplanowej sceny, w montażu i tak się to zetnie, dodajmy tylko, że dzieciak w drodze do sklepu wpada na okropnie rozeźlonego Pięknisia (doktorek cię minął, Pięknisiu, i nawet nie skinął głową, nie przywitał się, jesteś zmartwiony, próbujesz dociec, czy zrobił to specjalnie, czy po prostu cię nie zauważył, na wszelki wypadek się gniewasz). Piękniś demonstruje żelazny uścisk zdrowej ręki, podnosi dzieciaka za kołnierz i trzyma nad ziemią majtającego nogami, próbującego się wyswobodzić.

– Łostow mie, leca po cygarety starymu!

(Pięknisiu, nie wyżywaj się na nieletnich, marnujesz czas, Adam dopiero wszedł do domu, może jeszcze nie zasnął.)

– Jak charkniesz dalej ode mnie, to cie puszcza.

Piękniś stawia chłopaka na chodnik, pociąga nosem i odkrztusza ciężką flegmę z najodleglejszych głębi zatok, wreszcie z impetem wypluwa ją na drugą stronę ulicy, prawie sięgając przeciwległego krawężnika; dzieciak jest sprytniejszy, żaden glut nie może się równać ze starą gumą do żucia, dzieciak chomikuje po kieszeniach różne nieprzydatne świństwa, guma już dawno zaschła w twardą kulkę, no i proszę, teraz wystrzeliła z jego ust jak pocisk armatni, przeciwległy chodnik został zdobyty, wolność odzyskana, można biec do sklepu po tanie papierosy i kupić nową gumę.

Piękniś wychodzi z ukrycia, sąsiad zajęty jest uciszaniem żony, zamknął okno, a mimo to jazgot słychać wyraźnie, potok wyzwisk jest upierdliwy jak freejazzowe solo nieudolnego saksofonisty, który przedęciami nadrabia braki techniczne, wrzask wydostaje się przez rozedrgane szyby, sąsiad odszczekuje itd., w każdym razie Piękniś może przez chwilę niepostrzeżenie stanąć pod kamienicą Adama i spojrzeć w stronę okien na piętrze, w których niczego nie widać; zagwizdałby, ale nie chce zwracać na siebie uwagi, lepiej od razu wejdzie do środka.

Adam spałby już, gdyby nie Matka, która zadzwoniła, dopytuje się, uspokaja, mówi o tęsknocie. Adam przysypia ze słuchawką przy uchu, już bez butów, bez skarpet, spodnie ściągając, niechże już mama wygada się do końca i da mu wreszcie zasnąć po dyżurze, ale ona jeszcze tylko to, aha i jeszcze o tamtym zapomniała, no i koniecznie musi mu powiedzieć, że już wytłumaczyła Ojcu, już go udobruchała, on się nie gniewa wcale, wie, że trzeba ambicje syna uszanować, domek przecie się nie zmarnuje, czekał będzie, no więc, Adasiu, ty nam powiedz, kiedy najlepiej do ciebie przyjechać, przywieźliby my tobie co dobrego i posprzątałabym ci, wyprasowała, ty takimi rzeczami na pewno zajmować się czasu nie masz, to kiedy możem odwiedzić cię w tym mieście... Adam mówi, że mu wszystko jedno, ale mówi to już właściwie przez sen, Matka pyta, ale wszystko jedno to znaczy kiedy, lepiej rano czy po południu, a może w niedzielę, Adamowi naprawdę jest już wszystko jedno, nie wie nawet, czy rzeczywiście słyszy pukanie do drzwi, czy tylko mu się to śniło, nie ma już sił rozmawiać (pukanie się powtarza, wyraźniejsze od snu), Adam

wstaje, lunatycznie do drzwi podchodzi, otwiera, staje
twarzą w twarz z Pięknisiem.

Już nie jest śpiący.

5

Dopóki Żonie nie zachce się wyjść z łóżka, zapukać do drzwi i upomnieć o Roberta, łazienka jest jednym z niewielu miejsc niezakłóconego odosobnienia na terenie domu. Prysznic słychać przez drzwi; Robert już dawno się umył, teraz po prostu siedzi, zbiera i przegląda myśli z ostatnich kilkunastu godzin, z niepokojem zauważa, że wszystkie skupiają się wokół jego stanu zdrowia, są ciężkie, bo obrosły niedobrymi przeczuciami. Prysznic marnuje wodę, Robert próbuje myśleć o zmarnowanym życiu, właśnie przypomniał sobie, że jest śmiertelny; śmierć też o nim myśli. Robert nie boi się śmierci, tylko choroby, szpitala, smrodu środków dezynfekcyjnych w pokoju zabiegowym, na bloku operacyjnym, w ambulatorium, boi się sinobiałej i sztywnej poszwy na szpitalnym kocu, słoika z kompotem, którego nie będzie mógł wypić; najbardziej boi się bólu. Ból już się zapowiadał, dawał mu sygnały, ostrzegał, wysyłał forpocztę, sprawdzał jego wytrzymałość, za każdym razem pozwalając sobie na więcej, nawet przed chwilą pod prysznicem wykonał próbną eksplozję gdzieś w kręgosłupie, ale co tam, przecież każdego czasem trochę w krzyżu łamie. Robert poznał już pierwiosnki bólu, boi się, że lada moment wszystko w nim boleśnie zakwitnie. Próbuje sobie wyobrazić siebie we władaniu cierpienia, swoją walkę o prawo do bezbolesności; czy do tego można się przyzwyczaić? Czy ból okaże się stały, nie-znośny, dyktatorski, nieznoszący sprzeciwu, czy zemnie go do szczętu w kilka chwil na łożu boleści? Robert boi się guzików przy łóżku, których używają cierpiący, żeby zadzwonić po pielęgniarkę; dzwonią, a potem modlą się, żeby przyszła od razu z zastrzykiem, wiedząc, o co im chodzi, bo dyżur może mieć jedna z tych młodych, która najpierw przyjdzie i zapyta: „Co panu jest? Ach, boli? Dobrze, zaraz panu dam zastrzyk", a potem będzie musiała jeszcze raz pokonać drogę od łóżka do dyżurki, znaleźć lek, przygotować iniekcję i wrócić, a to wszyst-ko przecież trwa minutami, minutami spazmatycznego miętoszenia prześcieradła; Robert boi się minut, pod-czas których cały będzie oddany bólowi, tak że nawet nie jęknie, bo będzie się bał, że bólowi się jego jęki nie spodobają, że się za karę nasili; jęczeć można dopiero wtedy, kiedy zastrzyk zaczyna działać i czuje się, że ból mówi „tymczasem" (to jest właśnie najgorsze, śmiertel-nie chorzy nie jęczą z bólu, tylko z żalu, że ból nigdy nie mówi „żegnaj", zawsze „tymczasem", „na razie", „by-waj"; „bywaj" to najperfidniejsze z pożegnań, ból wie, że śmiertelnie chorzy już nie s ą, tylko b y w a j ą; zdrowi żyją ciągle, chorzy tylko w czasie przejaśnień, ich ży-cie pękło, czas przejaśnień jest czasem zbierania coraz drobniejszych fragmentów, prób ich sklejenia; śmiertel-nie chorzy są zdrowi tylko we fragmentach, w kawałkach, już się nie zdarzy, żeby wszystkie ich fragmenty były jednocześnie gotowe do życia, ale zdarzą się chwile, w których przypadkiem większość z nich jest jednocześnie zmobilizowana – wtedy czują coś na kształt ulgi). Robert szuka wyjścia z celi złych przeczuć, w końcu wyrok jeszcze nie zapadł, ostateczna konsultacja ze specjalistą ma nastąpić za kilkadziesiąt godzin, przez tych kilkadziesiąt godzin, jakkolwiek czułby się niezdrowo, chorowicie, a nawet śmiertelnie słabo, wciąż jeszcze jest po stronie świata zdrowych; dopóki nie wie niczego na pewno, póki ostatni z nieciekawych wyników nie został dokładnie przeanalizowany i dołączony jako dowód przeciwko niemu, jest jeszcze po stronie życia. Nawet jeśli jest nieuleczalnie chory, Żona czeka na niego w łóżku – i być może właśnie teraz nadarza się jedyna w swoim rodzaju okazja, by został szczęśliwym ojcem, a raczej, by istota, której da życie, otrzymała też gwarancję szczęśliwego dzieciństwa. Od kiedy opuścił piekielny dom rodziców (o których sza), Robert nie rozmawiał ze swoim ojcem, dopóki ten nie umarł; martwy ojciec nie przerywa, nie wchodzi w słowo po to, żeby je podeptać, martwy ojciec słucha i milczy jak grób, w którym go złożono; od kiedy opuścił piekielny dom (sza), Robert jest przekonany, że najlepiej ze swymi ojcami dogadują się pogrobowcy.

Żona leży w łóżku i nie wygląda na taką, co to się męża doczekać nie mogła, czyta kolorowy magazyn dla nowoczesnych kobiet, rzeczywiście czyta, nie tylko przegląda, najgorsze jest to, że wczytuje się w rzędy liter udających wyrazy, w kolumny wyrazów udających zdania i zdań udających teksty, i robi to przekonana, że w ten sposób zalicza dzienną dawkę lektury niezbędną do prawidłowego rozwoju duchowego i utrzymywania umysłu w stanie aktywności. Po książki sięga rzadko, a kiedy je czyta, niemal natychmiast zasypia, leżąc, siedząc, wieczorem, w środku dnia, nieważne – literatura ją usypia, a nowoczesne magazyny nie; Robert zastanawia się, czy strony tych pism nie są nasączane jakimś pobudzającym środkiem zapachowym. Żona twierdzi, że nie czyta książek, od kiedy Robert przestał pisać, w ten sprytny sposób nadaje swojemu umysłowemu lenistwu wymiar manifestacyjnego postu, protestacyjnej głodówki; to Robert jest winien, był jej ulubionym pisarzem, przy jego książce nigdy by nie zasnęła, inni ją nudzą, niech jej więcej nie przynosi książek innych pisarzy. Żona leży i czyta, pościel zsunęła się z jej podkurczonej nogi odsłaniając ją aż po... tak, aż po samą cipkę, Żona ma cipkę bezgrzesznie rozwartą między udami, i może sama o tym nie wie, bo cipka drzemie poza zasięgiem jej wzroku, a raczej symuluje drzemkę, flirtownie ku oczom Roberta skierowana, jego spojrzeniem się wzruszająca, oto bowiem cipka wcale nie wydaje się napięta, wilgotnieje porozumiewawczo, nie ulega więc wątpliwości, że Żona jednak zdaje sobie sprawę z cipki, a przypadkowość zsunięcia pościeli i przykurczenia nogi była udana, Żona misternie przygotowała tę pozycję i nadała jej pozory przypadkowości; Żona jest mistrzynią pozorów przypadkowości, jej małe piersi nie znoszą stanika, za to doskonale nadają się do pozornie przypadkowych odsłonięć między brzegami niedopiętej bluzki, w dekolcie podczas stosownie niestosownego nachylenia, w pozornie źle dobranej, zbyt prześwitującej sukience; Żona lubi grać z męskimi zmysłami, bo zawsze wygrywa. Robert zaczyna ceremoniał wędrówki języka od stopy do cipki. Żona jeszcze nie protestuje, lubi tę niespieszność, cipka czeka rozgorączkowana na swoją kolej, teoretycznie się niecierpliwi, ale właśnie to jest najprzyjemniejsze; gdyby Robert zbyt szybko dotarł na miejsce, zepsułby całą zabawę, musi krążyć dookoła cipki, delikatnie lizać pachwiny, zbliżać się po gładko wydepilowanych okolicach, aż Żona poczuje, że jest gotowa lewitować, dopiero wtedy wolno mu delikatnie zapukać do drzwi, królewicz język może zacząć podrywać królewnę łechtaczkę, a potem już mocniej, płynnie, żwawo, obustronnie, wszerznie i wzdłużnie ustami całymi, warga w wargę, jednak na królewnę bacząc najszczególniej, nie wolno mu stracić jej z języka, zresztą nie ma po co, bramy zamku i tak pozostaną zamknięte, zwłaszcza jeśli się je szturmuje taranem. Kiedy tylko Robert przestaje całować cipkę i próbuje włożyć obolały z niewsadzenia członek tam, gdzie mu będzie najcieplej, Żona ściąga go za włosy do poprzedniej pozycji albo po prostu odpycha, tłumacząc jak zwykle:

– Przecież wiesz, że nie możemy tego zrobić.

– Znowu coś sobie uroiłaś.

– Nie możemy, ciąża by mnie zabiła, jestem chora.

– Nie jesteś na nic chora, poza tym ludzkość już wymyśliła parę sposobów antykoncepcji.

– Ale żaden nie jest pewny na sto procent!

I tak się kończy próba spłodzenia pogrobowca. Robert próbuje jeszcze raz, ale nie może dopasować pieszczot ani pocałunków, Żona jest obrażona, sztywna, zamknięta. Robert próbuje mimo to, desperacko, siłą (od wielu miesięcy Żona nazywa seksem najprostsze rozwiązanie węzłowiska jego namiętności, zwykle w takich okolicznościach przejmuje ster i po chwili idzie do łazienki umyć ręce, podczas gdy Robert zasypia zdjęty ulgą), dziś po prostu chce się z nią kochać za wszelką cenę, ostatecznie może już nie mieć okazji, kiedy ból w nim zamieszka.

– Przestańże mnie dziobać tym swoim chujem, powiedziałam: nie!

Żona wstaje, poprawia koszulę nocną, nie daje mu szansy:

– Uspokoisz się albo idę spać do rodziców.

– Chryste, ja z tobą dłużej nie wytrzymam.

– Potrafisz tylko gderać i straszyć. Mocny jesteś w gębie.

Robert sięga po książkę, sytuacja się stabilizuje, Żona wraca do łóżka i do magazynu nowoczesnych kolorów, ale tylko na chwilę, zdenerwowała się, litery przestały udawać słowa, nie może czytać, chce zgasić lampkę i zasnąć, no ale ten tu znowu teraz będzie przy świetle zatapiał się w lekturze, trzeba coś zrobić, żeby go wyłączyć.

– Napisałeś coś dzisiaj?

Robert nie odpowiada, zawziął się i chyba naprawdę ma zamiar czytać mimo wyrzutów sumienia, że nie pisze; nic nie napisał, przecież Żona o tym dobrze wie, inaczej by go nie zapytała. Odnajduje pod kołdrą jego kutasa, jest jeszcze ciepły, taki odrzucony, wykluczony, pochylmy się nad nim. Żona pochyla się, bierze go do ust i nie zamierza wypuścić, zanim odszkodowanie nie zostanie uiszczone, zwykle to nie trwa długo, można przyspieszyć, skrobiąc paznokciami jądra, tak jest wygodniej, nie trzeba iść do łazienki, wystarczy połknąć, potem odwrócić się plecami, spać. Ostatni zgasi światło.

– Od kiedy z tobą sypiam, nic mi się nie śni, słyszysz? – Robert kłamie, nigdy nic mu się nie śniło, próbował sobie tłumaczyć, że ma sny, tylko nie może ich spamiętać, w każdym razie nigdy nie miał dostępu do snów i zawsze czuł się przez to kaleki, ale kiedy go pytano, czy spał dobrze, nie mógł się poskarżyć, przecież nie niepokoiły go żadne mary, sypiał miarowo, nieprzytomnie, ślepo. „Nawet zwierzęta mają sny", myślał, „Jestem nieszczęśnikiem. Życie bezsenne jest życiem bez sensu", myślał, „Pomyśleć, że niektórzy mówią do siebie przez sen, ba, mówią językami, których nie znają", żalił się w myślach. Wysnuwał ze swojego nieśnienia wnioski natury metafizycznej, lękał się, że brak snów jest oznaką braku duszy, bał się więc, że życie po śmierci – nieskończony sen nieśmiertelnej duszy – go ominie; modlitwy o sen także nie przynosiły skutku. „Bóg mnie nie słyszy,

bo modlę się tylko umysłem. Jestem człowiekiem bezdusznym", takimi myślami się pogrążał.

– Słyszysz? – Żona nie słyszy, mruczy i wije się we
śnie, Robert mówi do niej, bo domyśla się, że Żona ma
sen erotyczny, patrzy na nią zazdrośnie, czuje się zdra-
dzany z samym sobą (zakłada, że Żona nie śni o kimś innym). Zza ściany dobiega transmisja godzinek, po chwili
zbliża się w przenośnym radyjku przy uchu Teściowej,
która jak co dzień o świcie przychodzi dopilnować, żeby
zięć nie zaspał. Teściowa ponad wszystko ceni sobie
rodzinną harmonię, a także porządek, wierzy, że człowiek porządny podporządkowuje się ściśle określonym
zasadom harmonijnego życia; Teściowa dba w domu
o porządek, jak również o śniadanie dla mężczyzn. Jest
wyznawczynią tradycyjnych wartości, do których należy
stanie na straży rodzinnej harmonii, a zatem krząta się
po kuchni w szlafroku, zaparza herbatę, podaje talerz
z kanapkami do stołu; mężczyźni schodzą się w strojach
wyjściowych. Teść otwiera laptopa i czyta przy kawie aktualną wersję e-gazety, potem wpisuje swoje nazwisko
w wyszukiwarce i sprawdza, gdzie też o nim co nowego
powiedziano w ciągu minionych dwudziestu czterech
godzin, nieważne: dobrze czy źle, tak naprawdę najgo-
rzej będzie, jeśli któregoś dnia nic nowego się nie pojawi, Teść nie chciałby dożyć dnia, w którym nie znajdzie
na swój temat żadnej nowej informacji; Teść nie boi się
śmierci, tylko nieistnienia, boi się, że mógłby popaść
w nieistotność, boi się panicznie dnia, w którym jego
działania, przemówienia, wszystko, co zrobi, stanie się

nieistotne, w mediach nie będzie o tym żadnej wzmianki; nieistotność to nieistnienie. Teść jeszcze w dzieciństwie zapragnął, by mieć kiedyś ulicę swojego imienia, od tej pory dopytywał się o każdego patrona ulicy w mieście, w jakimkolwiek nowym miejscu się pojawił, czytał nazwiska na tabliczkach z patronami ulic i sprawdzał, kim też był, czym się wsławił dany patron; dzieciństwo Teścia przypadło na czas, w którym najczęściej patronami ulic zostawali tak zwani działacze; kiedy nie można było nigdzie znaleźć żadnej informacji na temat patrona niewielkiej ulicy w małym miasteczku, dorośli mówili: „To na pewno był jakiś działacz", Teść postanowił więc, że w przyszłości zostanie działaczem, cokolwiek by to miało znaczyć. Z czasem zrozumiał, że działacz to człowiek, którego działania są istotne, zauważane, odnotowywane i zapamiętywane, najczęściej dlatego, że jest przedstawicielem władz, a więc jego działania wpływają na bieg rzeczy, a kto wie, może i historii. Teść pozostaje u władzy od tak dawna, że prawdopodobnie nie zniósłby, gdyby go jej pozbawiono, mógłby sobie wtedy działać ile wlezie i nikt by na to nie zwrócił uwagi, Teść panicznie boi się dnia, w którym nie będzie mógł o sobie niczego nowego przeczytać. Jest jeszcze jeden istotny przywilej, od którego odzwyczaić się nie sposób w mieście o niskiej przepustowości: Teściowi, jako wysoko postawionemu działaczowi z immunitetem poselskim, przysługuje kogut, dzięki któremu wiecznie zakorkowane ulice nie są dla niego problemem; kiedy jedzie na sygnale w limuzynie rządowej, samochody rozstępują się jak Morze Czerwone przed Mojżeszem, nie ma takiego korka, którego kogut by nie mógł odetkać; Teść jeszcze nigdy nie stał w korku, nie wie, jakie to może być przyjemne, Robert z nim o tym nie rozmawiał.

– Znowu mnie cytują – dziś Teść jest bardzo zadowolony, wczoraj był w dobrej formie, nie dość, że wyjątkowo błyskotliwie przemawiał w sejmie (większość posłów z jego ugrupowania ma kłopoty z wdzięcznym formułowaniem myśli, więc uciekają się do jego wrodzonych zdolności oratorskich, Teść jest etatowym wykonawcą przemówień, głosem swojej partii, dobrze wypada w mediach, nie da się go wytrącić z równowagi), to jeszcze dodał trzy grosze w kuluarach, tam zawsze mówi to, czego mu nie wypada powiedzieć z trybuny, ale dziennikarze właśnie na te jego nieoficjalne wypowiedzi liczą najbardziej, cytują go jako posła, który zastrzegł sobie anonimowość, ale i tak wszystkim wiadomo, o kogo chodzi, Teść jako poseł, który zastrzegł sobie anonimowość, jest ulubieńcem mediów, dostał już propozycję od kilku poważnych wydawnictw, żeby jego wypowiedzi ukazały się jako książka pod tytułem *Poseł, który zastrzegł sobie anonimowość*, ale Teść na razie się nie zgadza, jeszcze poczeka, nie chce stwarzać konkurencji zięciowi, w końcu to Robert jest pisarzem. Tymczasem więc Teść czyta swoją wyjątkowo błyskotliwą anonimową wypowiedź na głos, a Teściowa, która już dopilnowała porannej harmonii, podała śniadanie i poprawiła mężowi krawat, zaczyna być złośliwa:

– No ale dlaczego znowu tylko nieoficjalnie, czemu nie po nazwisku? To jest brak odwagi osobistej. To jest dowód na nieczyste sumienie. To jest najgorszy rodzaj tchórzostwa i konformizmu. Ojciec dobrodziej zawsze mówi wprost i bez ogródek, nie boi się, że ktoś będzie kręcił nosem. Wystarczy zacząć służyć Prawdzie i człowiek od razu przestaje się czegokolwiek bać; może byś tak kiedyś spróbował?

Teść i te bzdety wprost z radyjka przejęte puściłby mimo uszu i nie skomentował, ale Robert siedzi przy stole, właśnie dojada śniadanie i przysłuchuje się, Teść przy Robercie musi pozostać panem sytuacji, dlatego odpowiada:

– Moja droga, dyplomatyka wymaga, żeby pewne treści do pewnego czasu wygłaszać anonimowo. Chodzi o to, żeby społeczeństwo pierwsze się pod nimi podpisało.

I zanim Teściowa zdąży coś znowu palnąć, Teść zmienia temat, pyta Roberta uprzejmie, ale stanowczo (jak powiada, nigdy by do niczego nie doszedł w życiu, a zwłaszcza polityce, gdyby nie uprzejma stanowczość):

– No a jak tam idzie pisanie?

– Nijak. Nie mam natchnienia.

– Natchnienie to jest potrzebne poetom. Gdyby ci brakowało pomysłów, mógłbym pomóc...

– Nie mówię, że nie mam pomysłów. Po prostu nie mogę pisać.

– Co to znaczy? Co to za jakieś ciamkanie, cackanie się ze sobą? Weź się w garść, przysiądź fałdu; przecież masz talent...

– Przykro mi. Nie mogę. Słowa mi się zmęczyły.

Robert odchrząkuje, nie kończy śniadania, dopija kawę, dziękuje, wstaje od stołu i zmierza do wyjścia. Teść jest wściekły, nie znosi takiego rozmemłania, aktywny polityk nie może pojąć artysty w stanie spoczynku, czynny działacz jest rozdrażniony bezczynnością twórcy, wszak twórca powinien być wytwórcą. Teść ma jeszcze nadzieję, że to tylko taka kokieteria, może Robert sobie niespiesznie skrobie jakąś wielką powieść, ale ją chomikuje, woli to utrzymać w tajemnicy, tak, na pewno tak właśnie się dzieje, przecież córka go przekonywała, że Robert jest geniuszem i na pewno w niedługim czasie dostanie Nagrodę Nobla, co przysporzy Teściowi nadzwyczajnej estymy, wyhodować pod własnym dachem noblistę to nie przelewki, trzeba tylko cierpliwie czekać, doglądać, stworzyć cieplarniane warunki, po to przecież załatwił mu tę ciepłą i niewymagającą posadkę, żeby Robert miał kilka godzin świętego spokoju dziennie, geniusze są trudni, kapryśni i chimeryczni, Robert na pewno coś pisze, tylko nie chce zapeszyć; dość spekulacji, trzeba to sprawdzić, jeszcze raz wyśle do niego dziewuchę na przeszpiegi, i niech nie wraca z pustymi rękami, bo ją zwolni.

Robert jest bezradny, siedzi w suterenie, gapi się w ekran komputera i nie chce zacząć pisać, bo jedyne, co przychodzi mu do głowy, to powieść o pisarzu, który nie może napisać powieści; pisanie o niemożności pisania to najczęściej ostatni gwóźdź do trumny pisarza niemogącego pisać. Robert nie chce być pisarzem w kryzysie, w ogóle nie chce być pisarzem, chce, żeby pisało mu się samo, jak kiedyś, niezauważalnie, bez wysiłku; kiedy tylko zauważa, że napisał kilka zdań powieści, której bohaterem uczynił pisarza w kryzysie, natychmiast kasuje cały tekst (zawsze *backspace*, nigdy *delete*, Robert podświadomie kieruje się za strzałką w lewo, przeczuwa, że to dobry kierunek; niech no tylko Teść się o tym dowie).

Robert patrzy w okno z widokiem na nogi i przypomina sobie, co powiedział mu stary mistrz, kiedy jeszcze ścieżki Roberta nie były sprawdzane z domowej wieży kontrolnej, kiedy jeszcze nie musiał ubiegać się o zezwolenie na zmianę trasy, kiedy jeszcze zachodził do ludzi, z którymi mógł sobie porozmawiać, nie tylko pogadać; Robert jest wygłodniały rozmowy, na co dzień słyszy wokół siebie tylko gadkę. Niestety, w suterenie sądowego archiwum nie ma z kim porozmawiać, jest za to na co popatrzeć, jeśli się przytrafi dzień ciepły, taki jak dziś. Robert przypomina sobie słowa starego mistrza, które usłyszał w odpowiedzi na pytanie, co robić, żeby się samo pisało. „*Genius loci*, chłopcze, potrzebny ci *genius loci*, artysta musi znaleźć swoje miejsce, takie, w którym zawrze przymierze z duchami, w którym zrozumie się bez słów z duchem stołu, duchem krzesła, duchem filiżanki z poranną kawą; powinieneś, chłopcze, unikać miejsc bezdusznych. Z tego, co mi opowiedziałeś, wynika, że mieszkasz w miejscu bezdusznym; choćbyś natężał wszystkie zmysły, zawsze będziesz czuł, jakby ci kto głowę opasał turbanem tłumiącym myśli, wszystkie one zdadzą ci się płytkie, żadna nie będzie godna utrwalenia. Musisz unikać takich miejsc, takie miejsca są wrogie intelektowi, nawet jeśli uda ci się wykraść niezapisane historie innym miejscom, kiedy je przyniesiesz ze sobą w miejsce bezduszne, natychmiast wywietrzeje z nich *genius loci*, staną się nijakie, bezwartościowe, będziesz z nich próbował budować swoją opowieść i tylko poczujesz niemoc. Ty musisz się, chłopcze, przeprowadzić; są takie miejsca, w których duchy nieustannie biesiadują, do których lubią przychodzić w gości, i kiedy zasiadasz do tworzenia, one się przekrzykują w podpowiedziach, każdy z nich chce pierwszy wyszeptać ci prosto w duszę swoją opowieść. To miejsca, w których kiedyś mieszkał twórczy intelekt; nawet jeśli już dawno zostały opuszczone przez twórczych ludzi, nawet jeśli ci twórczy ludzie dawno pomarli, ich twórczy intelekt przeniknął każdy metr kwadratowy tych miejsc, one tylko czekają na nowego lokatora, by tchnąć w niego twórcze impulsy. Musisz więc, chłopcze, porzucić swoje bezduszne miejsce, poszukaj dla siebie miejsca z *genius loci*, rozejrzyj się dokładnie, znajdź swój kąt i dostosuj do niego widok z okna, to bardzo ważne, każdy człowiek powinien mieć codzienny kontakt z naturą chociaż przez okno. Każdy człowiek powinien mieć za oknem choćby jedno drzewo, chociaż część drzewa, choć parę gałęzi, żeby widzieć, jak inny żywy organizm reaguje na wiatr i słotę, każdy powinien mieć swoje drzewo w zasięgu wzroku, swoje drzewo dostępne całodobowo w ekranie okna, zmienne, ruchliwe na wietrze, rozszczebiotane w porze ptasich sejmików, kwitnące albo tracące liście, spokojnie przyjmujące każdą porę roku, długowieczne. Ludzie powinni się uczyć od drzew, nie powinni godzić się na mieszkania, z których okien nie widać żadnego drzewa, a już w żadnym razie nie wolno godzić się na mieszkania, których okna wychodzą na inne okna, okna w okna w studziennych podwórkach starych kamienic, okna na odrapane i śmierdzące, zawsze zacienione podwórza starych kamienic, takie okna też są bezduszne, to bezduszne oczodoły bezdusznych mieszkań, z okien w takich podwórzach najczęściej wyskakują ludzie, w takich podwórzach ludzie myślący o samobójstwie siłą woli urywają balkony i spadają razem z nimi w dół, na wątłe trawniczki obsrane przez ratlery sąsiadów. Ludzie muszą widzieć ze swoich okien kawałek nieba i kawałek drzewa; nie mówię o oknach z widokiem na morze ani tarasach u podnóża gór, mówię o prawie każdego człowieka do niczym nieprzesłoniętego widoku na kolory nieba, chmur, liści i kory; człowiek, który takiego widoku się dobrowolnie pozbawia, jest człowiekiem bezdusznym; człowiek, którego takiego widoku pozbawiono wbrew jego woli, którego skazano na brak widoków, jest samobójcą; człowiek duchowy, który męczy się w bezdusznym miejscu, pozbawiony możliwości codziennego kontaktu z naturą choćby przez okno, taki człowiek, nawet jeśli tymczasowo nie popełnia samobójstwa, jest samobójcą, on nie żyje, lecz odwleka samobójstwo, nie myśli, lecz rozważa samobójstwo; jest zgubiony". Robert jeszcze wtedy nie pracował w suterenie, nie zdążył zapytać starego mistrza, co sądzi o oknie z widokiem na ludzkie nogi, nie zdążył z nim porozmawiać o tym, czego można się nauczyć od ludzkich nóg; mistrz niedługo później wyskoczył z okna swojego mieszkania w starej kamienicy, jego ciało spadło na zawsze zacienione studzienne podwórko, które oglądał przez ostatnie lata życia.

Nagle nagie nogi, skądinąd znane, ukazują się za oknem, w przycupnięciu zmyślnym, majteczkowym, a nad nimi śliczna szpiegini w spódniczce mini, ta, co się za Praktykantkę podaje, ślicznie przysłania oczy dłonią, zagląda, wytęża wzrok. Robert jest speszony, nigdy dotąd nie zaznał takiego odwrócenia porządku, to zmienia postać rzeczy, cały światopogląd runął, bo świat podgląda teraz Roberta oczami ślicznej Praktykantki, Robert nie wie, jak się schować, gdzie się zachować w postaci niezdemaskowanej; skądinąd nagle nagie nogi znikają, co może oznaczać, że zmierzają teraz do jego sutereny, co może oznaczać, że będzie miał okazję porozmawiać, no może chociaż pomówić do dziewczęcia, które, jeśli nawet jest zdolne tylko do gadki, na pewno umie ślicznie słuchać. Robert usadawia się przy biurku, przyjmując pozycję roboczą, wyczekuje, już słychać, oto nadchodzi, nogi ją poniosły, obcasy stukotem zapowiadają zjawisko. Jest, puka, wchodzi, uśmiecha się przymilnie a ślicznie, tak że Robert po raz pierwszy w życiu zauważa, że ma jednak jakieś włosy na rękach, teraz dopiero, kiedy mu dęba stanęły; ściąga rękawy.

– Znowu pani zabłądziła?

– Nie... Ja... chciałam tylko powiedzieć, że znam pana książki... Czyta-am...

A to ci dopiero, Teść musiał bardzo stanowczo i na granicy uprzejmości zażądać natychmiastowych postępów w śledztwie, skoro Praktykantka idzie na całość, niemrawo zaczynając udawać Miłośniczkę Twórczości; Robert tak bardzo chciałby wierzyć, że to dziewczę śliczne sypia z jego książkami pod poduszką, że postanawia rozwiać złudzenia od razu:

– Tak? Które konkretnie pani czytała?

Praktykantka teraz się rumieni (chyba nie trzeba dodawać, że robi to ślicznie), wypina biuścik, trzepocze rzęsami (na studiach to zawsze skutkowało), głosik sobie ustawia o ton wyżej, bezbronna jest jak embrion, Teść musi w takich chwilach odczuwać przemożną potrzebę ochrony jej eterycznego jestestwa i brać ją na kolana.

– Znaczy... Znaczy się... Naczysie... Czyta-am, ale nie osobiście...

– Słucham?!

– Po prostu... czyta-am o panu... Dużo pisali, w gazetach. A co pan tu właściwie robi? Całymi dniami w tej suterenie? Czy pan coś pisze?

Praktykantka bardzo, ale to bardzo nie chce zostać zwolniona z sekretariatu Teścia, nie wdaje się w subtelności, nie ma ochoty z tym tu niezdrowo wyglądającym, trupio bladym dyskutować, nigdy się nie znała na dyskutowaniu, milczała, rzęsyma trzepotała, a potem jeszcze rzęsoma, to wystarczało, i tak wszyscy zawsze szukali zrozumienia właśnie w jej oczach, a ten tu nieciekawy wydaje się traktować ją z góry; daj se na luz, koleś, na mnie się tak nie patrzy odgórnie. Praktykantka zaczyna się kręcić po pokoju, rozglądać, szukać szczegółów; kiedy podchodzi do okna, do ulubionego punktu obserwacyjnego Roberta, i zaczyna przedrzeźniać jego światopodgląd, zostaje ostatecznie zdekonspirowana:

– Zapłacił ci chociaż, powiedz?

– Co? Kto? O czym pan mówi?

– Nie udawaj. Nie ciebie pierwszą tu przysłał.

Podstawia jej krzesło, niech sobie usiądzie, Robert nie pozwoli jej wyjść z niczym; jest taka śliczna, w czasie pokoju to naprawdę przydatna cecha.

– Najważniejsze, obrać sobie właściwy punkt widzenia. No? Co widzisz?

Praktykantka nie cieszy się wcale, że ten tu przykurzony niemodny własnoręcznie ją na krześle posadził, to, że Teść ją sobie sadza na kolanach i tak dalej, jest wpisane w podatek, to się opłaca, w biurze poselskim Praktykantka po raz pierwszy w życiu zarabia powyżej średniej krajowej, to se ją stary satyr czasem może na kolana i tak dalej, zwłaszcza że człowiek wpływowy, dobrze ubrany i drogo pachnący, nie żaden koński zalotnik ze słomą w butach, prawdziwy poseł z dystynkcją, ale ten tu niedystyngowany jest wcale, w dodatku niepisarz, łapy niech lepiej przy sobie trzyma, będzie ją sadzał, kurde, jak dziecko, na krześle, i jeszcze kobiety od spodu jej każe oglądać, o, właśnie jakaś przeszła; oczy Roberta od razu wydały jej się jakieś nieprzyjemne, od pierwszego wejrzenia, jakieś takie niezrozumiałe, takie... zboczone, o tak, wszystko jasne, zboczonymi oczami gapi się na kobiety, żaden to pisarz, tylko zbok, psychol, konus, walikoń; czego on chce od niej, czemu każe się gapić?

– A co mam widzieć? Nic, czyjeś nogi.

– Nic? Widziałaś, kto teraz przechodził?

– Skąd niby mam wiedzieć?

– Ta dziewczyna idzie na sesję poprawkową. Miała granatową spódniczkę z matury. To już trzeci raz, większość jej koleżanek z roku już zdała, po raz pierwszy idzie sama. Zwykle stawia stopy tak jak teraz, mocno, trochę po męsku, głośno stukając obcasami o chodnik. Po oblanym egzaminie miała niepewny krok, być może coś wypiła ze smutku... No, a ten tu, kto to?

Idą nogi w spodniach od garnituru i czarnych mokasynach, Praktykantka przybliża się, zadziera głowę, widać jeszcze neseserek u boku; teraz już nic nie widać, nogi przeszły.

– Jakiś facet idzie... do pracy?

– Za wolno. Sześć sekund. To jest tempo bezrobotnych i studentów.

– Ale przecież miał aktówkę, oficjalny strój.

– Zgadza się. Stracił pracę niedawno. Kiedy pracował, chodził dwa razy szybciej. Mokasyny błyszczały mu jak lakierki, teraz zmatowiały, pastuje je niedbale, założę się, że dziś znowu się nie golił.

Robert ma rację, większość nóg w mieście rozpoznaje bezbłędnie; poza suterenę, na powierzchni, zawsze chodzi ze spuszczoną głową, od kiedy zaczął wypracowywać się jego światopodgląd, od kiedy umie patrzyć ludziom prosto w nogi, czyta z nich wszystko to, co chcieliby ukryć; większość ludzi na co dzień robi dobrą minę do złej gry, ale wobec Roberta są bezbronni, potrafią zakładać maski tylko na twarze, nogi pozostają niezamaskowane, chodziłoby o to, żeby chodzić dyskretnie, nieznacząco, niewielu jednakowoż posiadło tę umiejętność, ludzie od czasu dziecięcych katechez przeczuwają, że jeśli ktoś im się przygląda, to z góry, z lotu ptaka, aniołki zapuszczają żurawia, Pan Bóg lornetkuje ich z okna, potem będzie ferował odgórne wyroki, i najważniejsze decyzje zawsze zapadają odgórnie, nogi są nieważne, pozostają w ukryciu, przecież ziemia nie jest lustrem weneckim, perspektywa oddolnej perspektywy jest marginalna i nie warto się nią przejmować.

– Wystarczy obserwować i wysnuwać wnioski. Wszystko ma swoje znaczenie, stan zaniedbania butów, częstość zmieniania spodni, szerokość oczek w rajstopach.

Robert przez pewien czas nawet próbował sporządzać notatki, fiszki, kiedy okazało się, że z tego chaosu wyłania się powtarzalność ludzkich losów; żeby sobie ułatwić zapis i nie przeoczyć w określonych porach żadnej pary nóg, litery zastąpił cyframi, słowa symbolami, zdania wykresami graficznymi. Myślał, że musi złapać na gorąco jak najwięcej informacji, potem sobie to wszystko przetłumaczy, przepisze, aż przyszła wiosna i powietrze zaroiło się od cipek, jakaś gwiazdka muzyczki raz zapomniała włożyć majtki na koncert i w ten sposób wykreowała modę, Robert uzależnił się od korzystania ze swojej uprzywilejowanej pozycji w podziemiu; dopóki się przysłuchiwał, a nawet podsłuchiwał ludzi, łatwo mu było przełożyć to na literaturę: o tym i owym chodziły słuchy, a on je zapisywał; od kiedy zaczął podglądać, słuch o ludziach zaginął; Robert stał się skopofilem, zamiast pisać, rysował w zeszycie waginy, wszystkie znaczki, symbole i wykresy graficzne okazały się cipki warte. Brulion w pięknej skórzanej oprawie, który otrzymał jeszcze w czasach piśmienności, w blasku fleszy, od jednej z zamożnych fanek, kiedy jeszcze pisał i nie zdążył nabrać niechęci do salonów, kiedy jeszcze schlebiała mu adoracja egzaltowanych kokot (niechęci do salonów nabrał z czasem głównie wskutek uciążliwie drapieżnej aktywności tak zwanych lwów salonowych, przed którą nie umiał się bronić; ci salonowi bywalcy prężyli na jego widok mózgi i bicepsy jednocześnie, szepcząc znacząco: „Kalos kagathos, proszę pana, jakże pan uważa, czyż ten grecki ideał nieco w naszych czasach nie podupadł?", on zaś wycofywał się, jego wklęsłość próbowała umknąć ich wypukłości i trafiała wtedy na salonowe bywalczynie, rozochocone kokoty, które badawczo mu się przyglądając, nieodmiennie stwierdzały: „Zupełnie inaczej sobie pana wyobrażałam, ach, pan jest jeszcze taki młody", kiedy zaś wzruszał pokornie ramionami, nie znajdując słów, by przeprosić za ten rozziew realnego i wyobrażonego, nadchodził inny bywalec, odciągał go na bok i usiłując zniewolić do salonowej rozmowy niby to po przyjacielsku wręczoną lampką podłego merlota, mówił: „Proszę ich nie słuchać, to strasznie próżne osoby", a kiedy już Robert z nadzieją wietrzył w nim alianta w wyobcowaniu, rąbał na odlew: „Dostojewski, proszę pana, na nim literatura się kończy, nieprawdaż?", kiedy zaś i z tej opresji udało mu się wyratować, okazywało się, że zagarnąć go pragnie do swojej gromadki jeszcze inna lwica, którą najwyraźniej jego nieobycie podnieciło, „Niechże pan nie pije tego świństwa", mówiła, ciągnąc Roberta za rękę, „Porywam pana"; i zaczynała go przedstawiać swojej kompanii, złożonej z bywalców i bywalczyń innego salonu, do którego chyłkiem właśnie się zamierzano wymknąć; lwica, zaspokoiwszy swoją potrzebę przedstawienia nowo przybyłego, a raczej zabłąkanego w tych okolicznościach pisarza, zostawiała go na pastwę nowych konwersacji, lecz po pierwszych: „Ach, to pan", „Jakże miło poznać", „Gratuluję książki, choć przyznam, że nie czytałem jeszcze", wszyscy oni odwracali się ku sobie, prężyli i gięli i naprężali i przeginali i hohotali i zachichowywali się, niuchali szyje swoje, delikatnie dotykali się tak etykietowo i trącali dykteryjkami i nalewali sobie ploteczek i już Roberta pośród nich nie było, być nie mogło, wycofywał się, cofał, zamykał drzwi i pośród ulic chłodnych owiewających mu kark płaszcz dopinał, stawiał kołnierz i pierwsze kroki ku wolności); lecz dawno, dawno minęły te czasy, brulion pełen waginalnych obliczeń jest ostatecznym dowodem w sprawie zaniku wiary w słowo pisane, jest zapisem jego bezmiaru niewiary, Robert może się go pozbyć, ale wiary od tego nie odzyska, zresztą, brulion i tak do niego wróci, prawdopodobnie jeszcze dzisiaj.

– Proszę bardzo, zanieś to mojemu teściowi, powiedz mu, że to jest moja powieść.

Praktykantka ostrożnie gładzi okładkę brulionu, okładka jest szczegółem zrozumiałym i niezwykle istotnym, Praktykantka nie czyta książek, które miałyby niechlujne okładki, twarda oprawa i obwoluta to absolutna podstawa, książka musi wyglądać, nie zawsze przecież doczytuje się ją do końca, właściwie to najczęściej nie doczytuje się nawet do końca pierwszej strony, a bywa i tak, że lektura książki kończy się na przeczytaniu okładki i stron tytułowych, dlatego Praktykantka, pieszcząc gustowną, skórzaną oprawę brulionu, czuje, że otrzymała poważną literaturę, nie spodziewała się takiego sukcesu, miała nadzieję, że uda jej się wyciągnąć od tego dziwaka coś, co zadowoliłoby Teścia, ale nie spodziewała się całej powieści, i to w tak pięknej okładce; Praktykantka wodzi palcami po tłoczeniach w skórzanej oprawie i czyni to z bezwiedną ślicznością, aż Robert zaczyna boleć nad tym, że to nie jego skóra, od tego bolenia dostaje boleści w kręgosłupie, silniejszej niż kiedykolwiek wcześniej, nie wie, jaką pozycję przyjąć, żeby mniej bolało, to na pewno nerwoból, zaraz przejdzie, tłumaczy sobie kolejne ukłucia; Praktykantka niczego nie zauważa, właśnie marszczy śliczne czółko nad otwartym brulionem pełnym kartek zabazgranych z obrzydliwą gęstością, no to rzeczywiście zboczeniec prawdziwy, taki piękny zeszyt tak zniszczyć, co za człowiek, i jeszcze ją teraz przegania, niegrzecznie, najwyraźniej nie nauczył się uprzejmej stanowczości od swojego Teścia; Robert każe Praktykantce wyjść, dłużej nie utrzyma bólu w ukryciu, zaczyna jęczeć tak, jakby sobie podśpiewywał, no wychodźże szybciej; zamyka za nią drzwi, zostaje sam na sam z bólem, nie zna go, nigdy wcześniej go nie czuł, ten ból jeszcze mu się nie przedstawiał, Robert czuje, że właśnie zaczęło się coś nieodwołalnego; już jutro dowie się od specjalisty, czy to okresowe dolegliwości, czy też straż przednia śmierci wyrównuje w nim grunt pod obozowisko.

Komentator, proszę państwa, Komentator we własnej osobie próbuje zrozumieć senność w grze Polaków, analizuje jeden jedyny błąd, który wywołał następne i w konsekwencji doprowadził do utraty bramki, przegraliśmy bowiem z dużo niżej notowanym rywalem, nasi piłkarze nie wykazali takiego zaangażowania w grę, jakiego byśmy oczekiwali po buńczucznych zapowiedziach, Komentator ogłasza koniec marzeń, koniec snów, przygoda z pucharami skończyła się dla nas jak zwykle przedwcześnie; Teść irytuje się przed telewizorem, tym razem bez czapeczki w narodowych barwach, nie ma go na stadionie, bo drużyna gra na wyjeździe równie odległym jak następne wybory:

– Przecież to paralitycy są. Biali, żółci, czarni, czerwoni, wszyscy dymają nas prosto w polską myśl szkoleniową. My mamy, kurwa, antyfutbol w genach!

Komentator pyta współkomentującego fachowca, czy zgadza się, że przespaliśmy pierwszą połowę, fachowiec się zgadza i dodaje, że mecz się naszym nie ułożył, gdyby się ułożył, wynik mógłby być wręcz przeciwny; Teść nie wytrzymuje, wyłącza telewizor, mówi wściekle:

– Właśnie o to chodzi, że nasi dzielni chłopcy wychodzą na boisko, żeby stać i przyglądać się, jak też dziś mecz się ułoży; w tym czasie rywale grają i strzelają bramki.

Teściowa jest bardzo zaprasowana (żelazko w jej dłoni jest jednym z symboli rodzinnej harmonii), od pewnego czasu planuje jednak kolejną akcję dywersyjną; zastanawia się, jak też wpłynęłyby na medialny wizerunek Teścia źle wyprasowane spodnie.

– Te łamagi nie są warte funta kłaków, a ty się pieklisz. Szkoda, że ludzie nie słyszą, jakich wyrazów w domu używasz.

Żona przeszukuje parter, mąż jej gdzieś zaginął, truchcik wzmaga się, bo Robert jest coraz bardziej nieobecny, no proszę, w dużym pokoju też go nie ma, może rodzice widzieli, może mecz oglądał.

– Nie było tu Roberta?

Teść jest dziś wściekły podwójnie, paralitykom nie udało się go udobruchać, po tym, jak zięć go ostatecznie wystrychnął na dudka, zakpił sobie z niego w żywe oczy jego osobistej sekretarki.

– Twój mąż się nie interesuje sportem.

– A co to za sport? Dwudziestu dwóch facetów potykających się o własne nogi. I tysiące naiwniaków przed telewizorami.

– Przynajmniej są tak cwani, że za to potykanie biorą pieniądze. A ten twój?...

Teść wskazuje z wyrzutem leżący na stoliku brulion w grubej, gustownej oprawie, z wyjątkowo niegustownym wnętrzem. Teść do samego końca wierzył, że te zapiski to zaszyfrowany tekst genialnej powieści przyszłego noblisty, dał analitykom do sprawdzenia, najtęższe głowy kontrwywiadu zmarnowały dniówkę na to, żeby wytłumaczyć Teściowi, że ktoś sobie z niego robi jaja.

– Przejrzyj to, bardzo pouczające. Ja mu posadkę załatwiam, żeby miał cieplarniane warunki, a pan literat sobie miesiącami z nudów znaczki w zeszycie stawia, świńskimi rysunkami się zajmuje! Pytałaś go, jak ma was zamiar utrzymać z n i e p i s a n i a?!

– Chciałeś zięcia artystę, to masz. Kto gadał, że na kocią łapę mieszkać nam nie pozwoli?!

Teściowa, żelazkowa dama, wyprasza sobie podniesione głosy, musi stanąć w obronie harmonii rodzinnej; ojciec i córka zachowują się zbyt emocjonalnie, emocje i namiętności wykluczają możliwość osiągnięcia pełnej rodzinnej harmonii; tam, gdzie zaczynają brać górę emocje, przestaje grać harmonia; w życiu, także rodzinnym, przede wszystkim należy kierować się rozumem; gdzie rozum śpi, budzą się upiory.

– No wiesz? Takim tonem się do ojca nie mówi!

Żona zwiedziła już każdy zakamarek domu, najwyraźniej Robert samowolnie go opuścił, Teść musiał go strofować stanowczo i nieuprzejmie, być może się obraził i wyszedł, Żona zaczyna się lękać lęku, który mógłby ją znowu dopaść, tyle dni udało się wytrzymać, już się tak dobrze czuła, że aż ją to zaniepokoiło, lęk na pewno gdzieś się przyczaił i szuka tylko pretekstu, żeby zaatakować; nagłe zniknięcie Roberta mogłoby być tym pretekstem, może nie odszedł daleko, może tylko schował się w szopce, żeby spokojnie w czymś podłubać, sprawdźmy, tymczasem zajrzyjmy do zeszyciku, który tak zdenerwował tatusia; o Mateczko Święta, co to jest? (lęk wali w taraban) Te wszystkie okropności, jak to w ogóle wygląda, co to ma znaczyć? (lęk zaczyna wciskać pięść w mostek) Boże, spraw, żeby Robert był w szopce, żeby potrafił to wytłumaczyć łagodnie i rozsądnie (lęk zaczyna rwać oddech). Jest? Czy go nie ma? Trzeba wejść głębiej, z chusteczką przy nosie, bo to królestwo kurzu, a katar ledwo co minął.

– Robert? Jesteś tu?

Jest. Siedzi na podłodze oparty o ścianę. Ból go bardzo boli. Straszny ból. Nie ma siły się podnieść, trudno, właśnie dał się przyłapać na cierpieniu.

Żona nie wie, co powiedzieć, Robert wygląda, jakby się zepsuł; gdyby chodziło o światło w sypialni albo spłuczkę, być może sama potrafiłaby temu zaradzić, gdyby przestała działać pralka, zawołałaby do pomocy Roberta; ale zepsuty Robert to problem, którego nie brała pod uwagę; lęk podpowiada Żonie, że Roberta może już się nie da naprawić.

– Chyba będziesz musiał iść do lekarza.

6

Dzisiaj grają wznowienie Calderona, Róża ciągle jeszcze oficjalnie figuruje w obsadzie, to przyciąga widzów, ale przy jej roli w programach stawiana jest pieczątka z nazwiskiem aktorki zastępującej; ludzie dzwonią przed spektaklem, dopytują się, czy Róża dziś zagra, słyszą w odpowiedzi niezmiennie: „Proszę państwa, tego naprawdę nie sposób przewidzieć; ale mogą być państwo pewni, że gdyby wróciła nawet pięć minut przed podniesieniem kurtyny, zagra", dlatego sala jest zawsze pełna, widownia czeka, ale dziś jeszcze raz spotka ją zawód; Róża siedzi w ogrodowym fotelu przed domem i przypomina sobie tekst sztuki, wie, o której zaczynają, dokładnie o tej porze rozpocznie własny spektakl w domu, będzie wypowiadać swoje kwestie w tych samych momentach co jej zastępczyni na scenie, z tą różnicą, że w warunkach domowych widownia składać się będzie z psa i zajętego własnymi sprawami Pana Męża; stres i trema, jak również ryzyko nagłego zaśnięcia i zerwania przedstawienia są w tych warunkach całkowicie wyeliminowane.

Ciepłe popołudnie, rześkie powietrze, woda mineralna w potoczku za płotem, żyć, nie umierać, pani

Różo; paparazzi nie mają czego fotografować, zazdrośnie spoglądają ze swoich ambon myśliwskich na panią
owiniętą kocykiem, siedzącą na werandzie, spokojnie
sobie czytającą, wszystko w pani i wokół pani jest takie nieskandaliczne, ludzie tego nie kupią, paparazzi
zaraz z nudów zasną i pospadają z drzew, nawet pani
pies zasnął, choć teraz, w takiej ciszy, tak ucho natę-
ża ciekawie, jakby coś usłyszał, o tak, ktoś nadjeżdża,
czyżby miało się coś wydarzyć, teleskopowe obiektywy
są w stanie gotowości, uwaga, kto to, ach, to Pan Mąż
wraca z pracy, pies zrywa się i biegnie w stronę bramy,
Pan Mąż otwiera ją pilotem, wjeżdża na teren posesji,
zaczyna się witać z psem, drażnić go, tarmosić, jak co
dzień. Pana Męża z psem już mieliśmy, panią witającą
się z Panem Mężem na werandzie też, może by tak jakaś
awantura rodzinna, prosimy, niech pani nie znika nam
jeszcze w domu, stracimy przez panią pracę; weszła,
a jak już weszła, to nie wyjdzie, przez szyby nic nie widać, nocy przez nią zarywać nie będą, paparazzi mają
fajrant, po drodze pojadą jeszcze sprawdzić, czy coś się
dzieje u Małyszów.

    – Jak się dzisiaj czujesz? – Pan Mąż jak zwykle za-
sadniczo czule dopytuje się o samopoczucie żony; chodzi o to, że jeśli Róża czuła się dzisiaj dobrze, to upich-
ciła coś dobrego, kiedy miewa te swoje humory chimery
i inne takie, śpi, zamiast pichcić; Pan Mąż próbuje coś
wywąchać, tymczasem Róża wącha jego, przytrzymuje
za kołnierz i niucha, zna ten zapach, tylko nie może sobie przypomnieć skąd.

– Zgłodniałem jak pies... – Pan Mąż wyswobadza się, idzie do łazienki niby to umyć ręce przed jedzeniem, ale za zamkniętymi drzwiami sam się obwąchuje; psiakrew, nic nie czuć, a ta coś jakby zwietrzyła, ma suczy węch, lepiej się przebrać.

Róża lubi się przyglądać jedzącemu Panu Mężowi, ma w nim wiernego fana swojej sztuki kucharskiej, Pan Mąż nigdy nie ośmieliłby się zjeść w mieście, przynajmniej pod tym względem małżeństwo okazało się udaną inwestycją, cała kariera na pizzach z mikrofalówki, a tu nagle codzienne rozkosze podniebienia, nigdy wcześniej nie wiedział, że jedzenie może tak smakować, boi się, że trudno mu się będzie odzwyczaić, to jeden z powodów, dla których Pan Mąż nie dopuszcza myśli o rozwodzie. Róża, jeśli dziedzictwo babci Ziewanny jej nie opuści i będzie musiała zmienić zawód, otworzy restaurację; przyrządzanie wyszukanych dań poprawia jej samopoczucie, ma w sobie coś z sypania mandali: misterne i długotrwałe przygotowania kończą się zawsze tak samo, puste talerze lądują w zmywarce, a Pan Mąż myszkuje po lodówce, żeby znaleźć coś do przegryzienia, choćby kabanosa, przecież nie jest degustatorem, docenia starania żony, to wszystko jest bardzo smaczne, tylko czasem może zbyt dietetyczne; rytuał poobiedniego przegryzania kabanosem załatwia sprawę. Co my tu dzisiaj mamy, jakaś zupka na dobry początek, wcale nieźle pachnie, smakuje też niezgorzej, choć trochę cienka, Pan Mąż najchętniej wychłeptałby ją pospiesznie, żeby od razu dostać drugie danie (wypił dziś sporo kaw i czu-

je ssanie w żołądku, który na zupkę zareagował gniew-
nymi pomrukami), ale najpierw musi się pozachwycać;
Róża lubi się przyglądać jedzącemu Panu Mężowi, testu-
je na nim nowe pomysły, wie, że jego zmysł smaku jest
ograniczony, a przyzwyczajenia kulinarne prymitywne,
pod tym względem Pan Mąż jest modelowym przykła-
dem typowego klienta restauracji, Róża jest na etapie
układania menu doskonałego, potrawy zbyt awangardo-
we dla Pana Męża znikają z listy; Róża nie chce jednak
rezygnować z eksperymentów. Na przykład dziś: zupa
niczego sobie, co nie znaczy, że kiedykolwiek ktoś zechce ją zamówić, do tego trzeba odwagi; sprawdźmy,
czy modelowy przykład typowego klienta będzie w stanie przełamać uprzedzenia.

– Smakuje ci?
– Wyśmienite. A co to takiego?
– Krem z muchomorów czerwonawych.

Pan Mąż trochę się zakrztusił, już nie je, zastygł nad
talerzem; wygląda, jakby liczył, ile minut życia mu zostało.

– Czy czasem one nie są trujące?
– Czasem tak. Po przegotowaniu nie.
– To znaczy, że gdyby się nie dogotowały porząd-
nie...

Typowy klient przeżywa silny stres, być może nawet zupełnie stracił apetyt, krem z muchomorów nie
nadaje się do menu idealnego, raczej do listy dań na
specjalne zamówienie.

– Nie bój się. Czy kiedykolwiek któraś z moich po-
traw ci zaszkodziła?

Pan Mąż wciąż boi się poruszyć, wpatruje się w nie-dojedzoną zupę, „Tak ma wyglądać moja śmierć?", myśli, „Zawsze wyobrażałem ją sobie jako kobietę", myśli, „Ko-stucha, szkielet z kosą, biała dama w woalce, owszem, ale zupa?!", myśli i dopytuje się:

– To są te czerwone z kropkami? One naprawdę nie trują?

– To nie te, kochanie, nie znasz się. Myślisz o mu-chomorach czerwonych, które rzeczywiście są lekko trujące, ale silnie halucynogenne, w dawnych plemio-nach szamani wprowadzali się po ich zjedzeniu w trans, dlatego były objęte tabu i to w nas zostało, być może jako atawizm; od dziecka rysujemy trujące grzyby jako muchomory z kropkami.

Zupa znów jest tylko zupą, ale Pan Mąż już jej nie chce, zjadłby coś konkretnego, może jakieś mięsko dzi-siaj, zagląda do garów, o, są kotleciki, niestety, sojowe, trudno, zagryzie kabanosem; Pan Mąż nad kotlecikami wciąż jednak o grzybach rozmyśla, nie dają mu spokoju, tyle gatunków, łatwo się pomylić, musiałby nauczyć się rozpoznawania, ale taka nauka się nie kalkuluje, nawet jeśli grzybobrania bywają przyjemne, jaki ma sens przy-jemność, na którą można sobie pozwolić tylko przez parę tygodni w roku, tyle trwają jesienne wysypy grzy-bów, to już lepiej ryby łowić, oczywiście morskie, przy-goda męska i całorocznie dostępna. Pan Mąż zna się na rybach, marzy mu się merlin; Pan Mąż jeszcze za życia kawalerskiego w chwilach wolnych od wszelkich bilan-sów zabierał się do Hemingwaya, to dobra, sprawdzona, męska literatura, mówił Pan Mąż pytany, dlaczego akurat Hemingway, zasiadał do Hemingwaya po hemingwayow-sku, w starym wełnianym swetrze pamiętającym jeszcze czasy liceum, przy szklaneczce whisky zaczynał wodzić wzrokiem po kolejnych stronach, dumając o merlinie, zasiadanie do Hemingwaya w zupełności mu wystarcza-ło, było przyjemniejsze od samej lektury, nigdy nie prze-czytał do końca żadnej z jego książek, no, w każdym razie nie osobiście, może to i lepiej, przy tej podatności na hemingwayszczyznę mógłby sięgnąć po bardziej nie-bezpieczne rekwizyty, Pan Mąż musiał mieć przeczucie, że dalej niż sweter, whisky i dumanie o merlinach po-suwać się nie powinien, owóż, chadzał czasem na ko-mercyjne łowisko łapać pstrągi na spinning i obiecywał sobie, że niedługo wygospodaruje czas na prawdziwie męską, śródziemnomorską, a może i oceaniczną przygo-dę; tymczasem jednak Róża ma problemy ze zdrowiem, Pan Mąż ma problemy z żoną, choć ta gotuje świetnie, zna się na grzybach i innych zielskach jak wiedźma, chadza po skrawku lasu wokół domu i zawsze czegoś nazbiera, a potem robi z tego kulinarne cuda, może tro-chę nazbyt dietetyczne; o tak, Róża jest wiedźmą: wie, że kawałek lasu wystarczyłby, żeby wykarmić kompanię. I żeby otruć armię.

Pan Mąż od jakiegoś czasu gubi się w rachunkach, liczył na dyskrecję i się przeliczył, musi kolejny raz tłumaczyć, że kiedy jest w domu, nie wolno do niego dzwonić, bo żona krąży i nasłuchuje, Pan Mąż mówi do słuchawki, żeby się uspokoiła, bo zajmuje w jego sercu pierwsze miejsce, ale zostaje wyśmiany, Pan Mąż piastuje odpowiedzialne stanowisko i jako taki nie może sobie pozwolić na tolerowanie zachowań nieodpowiedzialnych, mówi do słuchawki, żeby to sobie wybiła z głowy, niestety, jego słowa nie mają tej mocy, co zwykle w finansowych negocjacjach, Pan Mąż jest zdenerwowany, zawsze stronił od ludzi nieobliczalnych, w biznesie najważniejsze jest wzajemne zaufanie, mówi do słuchawki, żeby mu zaufała, obiecał jej przecież, że wniesie sprawę o rozwód, tylko chciałby uniknąć skandalu; Pan Mąż nieostrożnie podnosi głos. Róża stoi za drzwiami i nasłuchuje; dobrze jej idzie, od kiedy podejrzewa Pana Męża o coś bardzo, bardzo nieuczciwego, udoskonala chałupnicze sposoby podsłuchiwania, wie już, która ze szklanek najlepiej przewodzi dźwięki, kiedy ją przyłożyć do ściany. Pan Mąż właśnie głośno i wyraźnie użył przekleństwa, Róży się to nie podoba, przy niej nigdy nie przeklinał, w rozmowach zawodowych używa języka bardzo oficjalnego, Róża chciałaby wiedzieć, kto też tak Pana Męża wyprowadził z równowagi, dokąd to teraz zmierza taki wściekły, że aż drzwiami gabinetu trzasnął; zachodzi mu drogę.

– Z kim rozmawiałeś? Z nią?

Pan Mąż próbuje wyminąć Różę, odpycha ją lekko, jak zwykle używa wymijającej odpowiedzi, to odpychające.

– Nie wiem, o kim mówisz, rozmawiałem w sprawach zawodowych.

– Co noc śni mi się, że mnie zdradzasz...

– No i co? Mam cię przepraszać za twoje sny? Mam robotę, proszę cię, daj mi teraz spokój.

Pan Mąż patrzy na nią martwo, Róża boi się tego spojrzenia, wie, co ono oznacza, tak martwo patrzą ludzie, którzy kłamią w żywe oczy; jej oczy właśnie się ożywiły, nabiegły łzami, Róża więdnie od kłamstw Pana Męża. Sama nigdy nie potrafiła kłamać, kiedy tylko próbowała kogoś ołgać, rumieniec ją zdradzał, nawet kiedy chodziło o drobne łgarstwa dla świętego spokoju, przychodziło jej to z najwyższym trudem i natychmiast tak zniesmaczało, że nie mogąc kłamstwa w ustach utrzymać, pąsowiała, martwiła się, czy okłamywany rzeczywiście jej uwierzył, sprawdzała, patrząc mu w oczy, a z tego sprawdzania lągł się od razu półuśmiech i demaskacja; takie to było jej kłamanie na niby. Róża nie jest naiwna, tylko dobroduszna: przyjmuje, że w ludzkiej naturze nie ma miejsca dla bezinteresownego zła, myśli, że zło zaczyna się tam, gdzie kończy się bezinteresowność; Róża nie wierzy, że człowiek może krzywdzić drugiego człowieka bez powodu, podobnie nigdy nie mogła zrozumieć ludzi, którzy bezprzyczynnie kłamią.

Pan Mąż na przykład kłamie po to, żeby nie wyjść z wprawy, w jego zawodzie to bardzo ważne, systematyczna kłamstwomówność czyni mistrza; Pan Mąż kilka razy mierzył się z wykrywaczem kłamstw i wygrywał pokaźne sumy na zakładach z zaprzyjaźnionym detektywem; zaprzyjaźniony detektyw po tym, jak dwa razy sam przegrał pokaźną sumę, zwołał innych detektywów, którzy obstawili maszynę i przegrali jeszcze pokaźniejsze sumy; Pan Mąż mógłby zarabiać na życie wyłącznie kłamstwem, detektyw proponował spółkę: brałby na siebie organizację występów, a Pan Mąż raz, może dwa razy w miesiącu miał kłamać jak z nut, nie wymyślono bowiem takiego wykrywacza, który by w nim zdołał kłamstwo wykryć; jak już wiemy, Pan Mąż nie stał się człowiekiem kłamstewek i drobnych interesów, woli kłamać globalnie, nazywa to przekonywaniem ludzi. Pan Mąż wie, że geniusz kłamstwa musi być przekonywający, a do tego trzeba spełniać dwa warunki: zawsze mówić to, w co ludzie chcą uwierzyć, i zawsze kłamać tak, żeby wierzyć sobie samemu. Pan Mąż nie czuje się winny krzywoprzysięstwu, czyż bowiem nieodpowiedzialna przysięga nie jest już kłamstwem w zarodku? Ludzie nie powinni przyrzekać sobie wierności aż do śmierci, bo nie przyszłość do nich należy, tylko sumienia; Pan Mąż sumiennie okłamuje Różę dla jej własnego dobra, nie powinna się denerwować.

Róża patrzy w oczy Pana Męża, kłamstwo nie mieści się jej w głowie, ma nadzieję, że w głowie Pana Męża też się całe nie zmieści, wodzi wzrokiem po jego twarzy i szuka kłamstwa w drgnieniu powiek, w kąciku ust, niekochane oczy patrzą na Pana Męża z bardzo bliska i nie widzą nic żywego; Róża nie da mu przejść, łapie go za krocze, ściska tak, żeby bolało, domaga się jeszcze jednego kłamstwa:

– Przysięgnij, że mnie nie zdradzasz...

Pan Mąż byłby przysiągł, że jest wierny, ale właśnie mu dzwoni komórka, Róża zaciska dłoń na jego jądrach i wyjmuje mu telefon z kieszeni; Pan Mąż naprawdę cierpi. Numer się nie wyświetla, w słuchawce ktoś odpowiada na głos Róży milczeniem i zaraz się rozłącza; Pan Mąż wyswobadza się z uścisku, wykręca Róży rękę i odbiera telefon, cedząc przez zęby groźbę:

– Nie rób tego więcej.

Rachunek cierpienia też musi się zgadzać, Pan Mąż przytrzymuje w bolesnym wygięciu rękę Róży dokładnie tak długo, jak ona trzymała go za jaja, nie, jeszcze dłużej, Pan Mąż nie chce być sprawiedliwy, chce dać jej nauczkę; Róża go zawiodła, niech teraz trochę pozawodzi z bólu. Pan Mąż współczuje Róży, ale nie może jej pomóc, chce, żeby pamiętała ten ból długo, tak jak on do dziś pamięta, jak to w szkolnych czasach klasowy osiłek uwielbiał mu wykręcać rękę na przerwach, a kiedy Pan Mąż zwracał uwagę, że to boli, osiłek zaczynał filozofować: „Ma boleć, musi boleć, ból jest pouczający, im wcześniej nauczysz się go doświadczać, tym lżej ci będzie iść przez życie"; osiłek był prymusem i absolutnym pupilkiem nauczycieli, więc nie sposób było na niego skutecznie naskarżyć, dużo później Pan Mąż się dowiedział, że ten chłopak toczka w toczkę powtarzał nauki, które mu szeptał do ucha ojciec, bezkarnie molestujący go przez jedenaście lat; zanim chłopak powiesił się w swojej skrytce na poddaszu, zdążył wysłać listy do kilku osób, co do których był pewien, że nie zatuszują jego cierpień; Pan Mąż wybaczył mu więc lekcje bólu między lekcjami, zresztą, wszyscy byli uczniami osiłka, miał wystarczającą przewagę wzrostu i kilogramów, nie uznawał lizusostwa, nikt nie mógł znać dnia ani godziny, w której zostanie zaciągnięty na bolesne nauki, wszyscy mu wybaczyli, choć nie każdy zdobył się na to, żeby zasilić klasową wycieczkę na jego pogrzeb, niektórzy nigdy nie przynieśli usprawiedliwień, ale wybaczyli mu, to pewne; Pan Mąż, zadając ból Róży, nie musi liczyć na jej przebaczenie, bo właśnie zasnęła, bidulka, i niczego nie będzie pamiętać, jaka szkoda, cała lekcja na marne.

Pan Mąż dzisiejszej nocy bardzo ciężko pracuje, w pocie czoła produkuje rozkosz, rozpędził się jak szalona lokomotywa, lecz kogóż to łomocze w rytmie fabrycznych tłoków tak udatnie, że oklaski słychać w całym domu, któż to poddaje się posapującemu przodownikowi tak ochoczo, kto pozwala się fedrować ile wlezie, poczekajmy, z tej pozycji nie widać dokładnie; Pan Mąż już zaczyna finałowe odliczanie, właśnie zapowiedział, że zaraz się spuści, ale słyszy wymamrotaną prośbę, żeby jeszcze nie, nie teraz, za chwilę, ale Pan Mąż już nie może zwolnić, wyładowuje cały zapas amunicji w kilku ratach, wszystko do środka, jak pan bóg przykazał, Pan Mąż musi wreszcie kogoś zapłodnić, idzie wyż demograficzny, wpływowi biznesmeni pozwalają sobie na trzecią pociechę, podczas gdy on nawet nie zaczął się rozmnażać. Niestety nie dowiemy się, czyjeż to ciało było dla Pana Męża takie gościnne, bo właśnie na nie oklapł wyczerpany, wszystkie szczegóły nam zasłonił, zaraz, spójrzmy na łydkę smukłą z bransoletką całkiem zmysłowo dobraną, popatrzmy na palce u stopy kurczące się rytmicznie, jakby próbowały złapać uciekający orgazm, przyjrzyjmy się tym wypielęgnowanym i pomalowanym na czarno paznokciom, to bez wątpienia młoda i atrakcyjna kobieta. Róża, która śpi w sąsiednim pokoju snem spokojnym i osobiście przez Pana Męża uregulowanym, też jest młoda i atrakcyjna; Pan Mąż ma dobry gust.

7

Adam własnoręcznie rozciął gips na przedramieniu Pięknisia, wygląda na to, że kość się zrosła prawidłowo, trzeba tylko odbudować mięśnie, Adam będzie kontrolował przebieg rehabilitacji, jeśli Piękniś posłusznie się do niej zastosuje, niebawem znów sobie pobryka. Adam moczy szmatkę w misce i przemywa jego skórę; lubi myć całego Pięknisia, obmywać go z zapachu ulicy, lubi mieć go przy sobie mokrego, ale i wycierać go potem ręcznikiem, obcinać mu paznokcie u nóg (u rąk Piękniś sam sobie obgryza), ścierać odciski, balsamować pachnącym kremem, pielęgnować, depilować; Adam lubi wszystko, na co mu Piękniś pozwala, jest dla niego najczulszym i najostrożniejszym pielęgniarzem, bo choć Piękniś do płochliwych nie należy, wciąż nie może sobie poradzić z tym, co się stało, co się dzieje każdego dnia, nie oswoił jeszcze nieznanej dotąd przyjemności, którą czerpie z posiadania bezgranicznie i bezwarunkowo oddanego kochanka, służącego mu wiernopoddańczo na każde zawołanie.

Pęknięte żebra też się zrosły, Piękniś może oddychać pełną piersią, bezboleśnie przewracać się na boki, kiedy śni jakiś koszmar, to ważne, bo sypia niespokojnie, co noc się miota i wykrzykuje serie wyzwisk pod adresem sennych prześladowców; od kiedy pomieszkuje u Adama, ma się czego bać. Pomieszkuje chyłkiem i pokątnie, nikt, ale to przenikt nigdy nie może się o tym dowiedzieć; na wypadek niekontrolowanego przecieku Piękniś ma gotową odpowiedź, w każdym razie tak mu się wydaje: wkręcał jelenia, żeby się dobrać do jego pieniędzy, doktorek bogaty, tylko udaje zabiedzonego, starzy kapią forsą, przysyłają mu, dobrze mieć swojego jelenia, chłopaki (Piękniś wie, że kumple w tej historyjce nie kupią tego, co najistotniejsze, jeden szczegół będzie ich kłuł w oczy: czemu jeleń, a nie sarna, czyżbyś był ciotą?). Piękniś nie jest żadną ciotą, co to to nie, nigdy nikomu nie dał dupy, panowie, zrozumcie, on sobie tylko pozwala obciągać, doktorek ma klasa obciąg, panny mogłyby się od niego uczyć, dajcie spokój, co z tego, że razem śpią, nigdy nie spaliście w jednym łóżku z facetem? Jak w nocy ziąb, to może i przytulą się, pobawią ptakami dla rozgrzewki, jeśli dla was to jest pedalstwo, to walcie się na ryj, pedalstwo to odchodzi pod celą, ale tego nie wiecie, boście, kurwy, nigdy nie siedzieli.

— Mam dzisiaj długi dyżur. Nie zapomnij wziąć kluczy, gdybyś chciał wyjść z domu — mówi Adam i dopina kurtkę; jeszcze stoi u drzwi, chciałby pocałunku na pożegnanie, chciałby doczekać poranka, w którym Piękniś po prostu pocałuje go i będzie życzył dobrego dnia, tymczasem jednak musi się jeszcze trochę ze sobą pogryźć, nie ma na to rady, na pocałunki jest stanowczo za wcześnie; Adam wychodzi, Piękniś dziś nawet na niego nie spojrzał, znowu musiał się siebie przestraszyć. Adam wie, że Piękniś wie o jego skrytce na oszczędności; Matka zaczęła przysyłać pieniądze, Adam zrezygnował z pierwotnego zamysłu, żeby je odsyłać z powrotem, poradziłby sobie bez tej pomocy, a mimo to chowa zaskórniaki do starego wydania Vademecum Lekarza Ogólnego, między strony z *Neoplasmata ossium et articulationum* a *Myeloma multiplet Plasmocytoma*, po to, żeby Piękniś miał go z czego okradać. Adam dba o swojego złodzieja, wystawia mu łatwy łup, wciąż uzupełniając zapasy, napisał nawet w tej sprawie list dziękczynny do Matki, zmyślnie sugerując większą częstotliwość zapomogi; Adam chce, żeby Piękniś kradł sobie w domu, skoro już musi, zamiast się szlajać z koleżkami, lepiej niech wznowi treningi; Adam nie rozumie, że kraść samotnie w pustym domu to jak pić do lustra, Piękniś go nie okrada, po prostu pobiera swoje honorarium, ukraść coś to on lubi w mieście.

Adam już nie jest taki skory do brania zastępstw na dyżurach, nie zostaje po godzinach, choć pacjenci przywykli, że ten młody doktór bada najdokładniej i każdego zawsze zdąży przyjąć, starsi koledzy są zaskoczeni, że tak szybko się do nich upodobnił, spryciarz, zakończył okres promocji, teraz pewnie chorzy smarują mu jak opętani. Owszem, smarują; Adam nie odmawia, nauczył się już zgarniać kopertę do szuflady jakby od niechcenia, mimochodem, nie przestając rozmawiać z pacjentem, tak jakby wręczenie i przyjęcie odbywało się gdzieś poza nimi, są przecież w życiu takie chwile, w których dwóch ludzi łączy milczące porozumienie, wyobraźmy sobie na przykład dwa wybitne autorytety moralne, profesorów filozofii i literatury, powszechnie szanowanych i szanujących się wzajem obywateli, odbywających co kilka dni w ulubionej kawiarni dysputy rozsławiające na cały kraj stolik, przy którym zasiadają, wyobraźmy sobie zatem, że przypadkiem natykają się na siebie w zamtuzie: milczące porozumienie nie pozwala im się rozpoznać, skala wzajemnego zawstydzenia byłaby zbyt olbrzymia, straciliby od tego potencję, mijają się więc, jakby się nie znali, a następnego dnia jakby nigdy nic prowadzą przy kawie spór o uniwersalia, nie wspominając słowem o nocnym spotkaniu; jeśli dwaj ludzie w tym samym momencie uznają, że jest raczej nic niż coś, nie mają się czego wstydzić, wszak do niczego nie doszło; pacjenci wręczają Adamowi koperty tak, jakby tego nie robili, Adam przyjmuje je tak, jakby ich nie przyjmował; przyjmuje oczywiście po to, żeby Piękniś go nie zostawił, boi się, że kiedy już nie będzie go z czego okraść, zostanie sam. Adam boi się osamotnienia; Piękniś, kiedy po raz pierwszy został na noc, na zawsze okradł Adama z samotności, jeśli odejdzie, zostawi mu tylko osamotnienie. Adam nie odmawia pacjentom dokładności, bada ich jeszcze staranniej niż dotąd, niestety, nie może im poświęcić więcej czasu, niż to ma zapisane w kontrakcie. Adam kończy teraz pracę punktualniutko i biegiem wraca do domu, z nadzieją, że Piękniś tam już będzie czekał na służącego swego, Adam pełni teraz po godzinach prywatną służbę, na myśl o niej mrowi go w podbrzuszu. Proszę, dopiero co wyszedł ze szpitala, a już jest na swojej ulicy, musiał biec, i to przez większą część dystansu, dlatego jest taki zdyszany, zaraz wbiegnie po trzy stopnie na piętro, sprawdźmy, czy coś może go powstrzymać.

– Te! Synek!

Z jakiegoś profundału głos ów dudni, pogłosem wzmocniony i brzmiący, jakby sam bóg się obraził, że Adam przez małe „b" o nim myśli; owóż Adam przystaje, jak na medyka przystało: kiedy ktoś woła, to może wołać o pomoc, nawet jeśli to sam b(B)óg. Tyle że głos jest samoswój, słyszalny, a niewidzialny, Adam nie wie nawet, w którą stronę ma patrzeć, myśli: a jeśli b(B)óg istnieje, jeśli właśnie zaistniał, czyżby mógł mieć za złe, że Adam kocha chłopca w mężczyźnie, nie, nawet Bóg przez duże B nie ma prawa mieć do niego o to pretensji, póki miłość bezgrzeszna ku dobru wiedzie; Adam chce dobra dla Pięknisia, chce go przecież wydostać ku światłu, zbłąkaną owieczkę do stada przyprowadzić. Czegóż chcesz ode mnie, b(B)oże, myśli Adam, a jeśliś to nie t(T)y, więc kto mnie wołał, czego chciał?

– Te!

Adam słyszy wyraźnie, idzie za głosem tam, gdzie nikogo nie ma, choć głos serca nakazywałby w przeciwnym kierunku podążać, tam gdzie Piękniś już pewnie w samych bokserkach, ach ile się będą musieli naprzekomarzać, żeby mu je pozwolił zdjąć, a potem pobawić się podotykać wziąć do buzi; Adam niepewnie zbliża się do Nikogoś, dopiero na środku ulicy widzi człowieka w studzience kanalizacyjnej, no tak, przecież kradną włazy, zdarzało się, że pijak wpadł i przesiedział zaklinowany metr pod ziemią całą noc, ale ten tu wygląda, jakby wcześniej wpadł do wszystkich innych studzienek w mieście, i to głową w dół, w każdym razie krew go zalewa, że nie może wyjść; Adam patrzy ze zgrozą na pokiereszowaną twarz: oba łuki brwiowe puściły, lewe oko potwornie opuchnięte, obrzęk nosa; gdzie był bóg, kiedy temu człowiekowi działa się krzywda?

– Co się stało?

– Takie bajtle mi szmary spuścili... I za co to... Wiela jo mioł w portmanyju, same klepoki... Za dwajścia złoty mi nos połomali... I zygorek wziyli, co i tak wancki ciśli...

Adam pomaga mu się wygramolić, facet próbuje wstać i noga wygina mu się w kolanie do przodu, upada i tylko dlatego nie mdleje z bólu, że jest kompletnie pijany; Adam dzwoni po karetkę, pytają, czy przysłać lekarza, czy sam sobie poradzi (Piękniś czeka... A jeśli nie czeka? Jeśli już mu się znudził? Jeśli jest, to będzie i potem; jeśli już go nie ma, lepiej dowiedzieć się o tym jak najpóźniej), nie, nie trzeba lekarza, Adam sam się tym zajmie.

Piękniś już śpi, nagi, porozrzucał ciuchy na podłodze, musiał być zmęczony, czyżby zaczął brykać na dobre? Śpi na boku, głęboko, za to jego ptasior czuwa na całego; ciekawe, co mu się śni. Adam jest wykończony zamieszaniem z pobitym pijaczyną, obdukcją, zeznaniami i całą resztą, zaraz sam się rozbierze i przylgnie do gorącego Pięknisia na tak zwane krzesełko, łyżeczkę, jak zwał, tak zwał, złapie go delikatnie za pałkę i zaśnie z nią w ręku, chyba że Piękniś się przebudzi i będzie chciał czegoś więcej. Adam zbiera z podłogi jego spodnie i koszulkę, składa je na krześle i zauważa w kilku miejscach krwawe plamy. Natychmiast dokonuje oględzin, Piękniś jest piękny w całości i bez uszczerbku, nic mu nie jest, nigdzie żadnego draśnięcia, coś tam bełkocze przez sen i z powrotem owija się kołdrą. Adam zanosi ubrania Pięknisia do łazienki i wrzuca do pralki. Nawet jeśli b(B)óg nie istnieje, nie wszystko wolno: Adam wie, że jutro będzie musiał zadać kilka niewygodnych pytań, a Piękniś bardzo ceni sobie wygodę; o, proszę, jak to się rozłożył na całym łóżku. Adam kładzie się obok, dotyka go i myśli, że musi teraz robić wszystko tak, jakby miał jutro umrzeć.

Ojciec już zaparkował, ale oboje z Matką nie wysiadają z samochodu, z niedowierzaniem sprawdzają adres na karteczce i porównują z numerem na kamienicy, niestety, wszystko się zgadza; znaleźli ulicę, znaleźli dom, ale śpiewać im się odechciało, choć Matka z radości, że Ojciec wreszcie dał się nakłonić na odwiedziny u syna, nuciła po drodze wszystkie przeboje młodości. Ojciec w końcu wychodzi z auta, bierze się pod boki i patrząc na dom, w którym mieszka jego syn jednorodzony, aż puchnie od gniewu i hańby (chałupka nowiutka pachnąca we wsi stoi, a ten tu mieszka w norze łobjscanej rozwalającej się ruderze psia jucha, że pożal się Boże, ale nic nie powiem, nic nie powiem, nie warto się denerwować, rozepne se tylko guzik pod szyją, bo aż mi się duszno zrobiło). Matka też wychodzi z auta opieszale, nie wie, czy już wyjmować torby ze słoikami kompotami bigosami grzybkami, wszystkim, co synuś lubi, czy też poczekać, niech Ojciec wejdzie na górę i sprawdzi, może zły adres dostali. Z okna na parterze sąsiad parapeciak patrzy to na przyjezdnych, to na limuzynę, w końcu zagaduje do Ojca, który już przemógł obrzydzenie i chce dać nura w klatkę schodową śmierdzącą kocim moczem.

– Cińdobry. Fajne auto. Jo by go sam tak niy łostawioł. Moga pofilować, coby sie nic niy stało... Dwa złote łod godziny...

Ojciec spoziera pogardliwie i wyniośle, co to za kundel człowieczy, myśli sobie, jak on wygląda, jak on mówi, co to w ogóle za dzielnica jest, wcale nie odpowiada na ofertę ochrony ruchomości (błąd, widać, że nie jest z miasta).

– Nie, to nie... – mówi sąsiad, ale Ojciec już go nie słyszy, wchodzi na korytarz stary, zapuszczony, śmierdzący stęchlizną, wdrapuje się po schodach drewnianych z prześwitami widocznymi od spodu, stara się iść z godnością w tym niegodziwym miejscu, aż piesek obszczymurek przekrzywia głowę ze zdziwienia, cóż to za dziwny gość tak dostojnie wnosi zapach wiejskiego podwórka, na wszelki wypadek szczeka raz i drugi, ale bez przekonania; Matka została daleko w tyle, zasapuje się na półpiętrach, myślała, że gdzie jak gdzie, ale w mieście windą sobie wjedzie do synka, wcale jej się tu nie podoba, nie wiadomo, czy to dom w trakcie remontu, budowy czy rozbiórki, w każdym razie jest to niespełna dom; pies jakieś siki obwąchuje w rogu korytarza, na ścianach same przekleństwa powydrapywane, och, synek zasłużył sobie na lepsze miejsce, w tym się Matka z Ojcem całkowicie zgadza, no ale gdzież on, czemu na nią nie poczeka, łojessu, ale się zmachała, ileż to jeszcze tych schodów i dlaczego tak skrzypią, jakby się miały pod nią oberwać.

Adam słyszy pukanie i budzi się, któraż to, któż to, zaspał, jak zwykle dzień po dyżurze, gdzie Pięknić, myje się, wodę w łazience słychać; znowu pukanie, niechże Adam wreszcie otworzy, sprawdzi, spławi, kogo tam diabli przygnali. Wkłada spodnie i pospiesznie je zapinając, kaleczy sobie fiutka zamkiem błyskawicznym, syczy z bólu, otwiera drzwi i w niedopiętych gaciach staje przed Ojcem we własnej osobie.

– Tato! – mówi głośno, tak żeby Pięknić w łazience usłyszał, może jakoś przeczeka albo ubierze się i przedstawi jako kolega z pracy, Adam ma spory kłopot, bo Ojciec już próg przestępuje, a gdzieś tam za nim musi kolebać się Matka; czemuż na śmierć zapomniał, przecież mu się zapowiadali, wystarczyło wstać wcześniej i wytłumaczyć Pięknisiowi, że nie chce go wyganiać, ale akurat dziś mógłby sobie pohasać w mieście przez tych parę godzin...

– Adam, synuś! W szpitalu powiedzieli, że dzisiaj wolne masz, niespodziankę chcielimy ci zrobić...

Ojciec już go obłapia po chłopsku, mocno, serdecznie, długo, do utraty tchu, stęsknił się, miał prawo, niech go sobie pościska; chleba i soli nikt mu nie podał, ale Ojciec łatwo się nie zraża, już się wtarabania, wkracza do wnętrza łypie lustruje zagląda do pokoju. Widzi pościel w nieładzie i nijak uwagi jego ujść nie mogą dwie poduszki obok siebie, jako też dwie kołdry i prześcieradło w dwu miejscach wygniecione, świeże ślady podwójności intymnej, prywatnej, domowej. Odwraca się ku synusiowi radośnie, już go nie trapią okoliczności, rudera niech se będzie ruderą, mieszkanko też trochę zapuszczone, ale nic to, nic to, wszystko nieważne wobec wieści cudownej, która, choć Adamowi w gardle uwięzła najwyraźniej, bo stoi blady jakiś, niemrawy i bezmowny, wieścią jest dla Ojca fundamentalną, ważniejszą może i od tej, którą całkiem niedawno przecie świętowali; oto synuś sam nie sypia, jest w tym mieszkanku z nim jakaś obecność towarzysząca, gdzieś się schowała, może po zakupy wyszła, żeby śniadanie panu doktorowi przyrządzić, a może sama pracuje od świtu i w robocie akuratnie przebywa, no, ale ukryć już nie uda się synusiowi, że kobita jest; wreszcie nareszcie kobita jest. Ojciec wpatruje się w wygniecenia prześcieradlane, próbuje na ich podstawie wyczytać odtworzyć wyobrazić sobie, jakaż to, smukła czy kurdupelek, pełnokształtna krasawica czy jakieś chuderlawe dziewczątko, wpatruje się w pościel, jakby oglądania całunu turyńskiego dostąpił, gotów paść przed tym łóżkiem na kolana i Panubogu dziękować, że syn kobite ma, kobite, psiokrew, kobiciche se tu chędoży, a nic się nie chwalił, nie pisoł, ale co tam; w łazience ktoś wodę puszcza, a więc jest w domu, jest pani synusiowa i już im nie umknie, już niebawem ukaże się, pewnie właśnie przygotowuje się maluje wypachnia, teściom przyszłym pokazać się chce z dobrej strony; Ojciec umiera z ciekawości, przygładza sobie włosy na czole i mruga do Adama, pokazując na drzwi łazienki. Matka dociera do drzwi z powitalnym uśmiechem w tym samym momencie, w którym Piękniś ukazuje się goły, a zaraz potem płochliwie przepasany przykrótkim ręczniczkiem; nie bardzo potrafi przyjąć pozycję, w której byłby z obu stron jednocześnie osłonięty, chcąc się Ojcu ukłonić z obyczajnie przykrytym przyrodzeniem, gołą dupę w stronę Matki wypina, w każdym razie starannie obojgu mówi „dzień dobry", potem dopiero pozwala sobie zapytać Adama niby takim półszeptem zakłopotanie wyrażającym tą oto niezręcznością:

– Nie wiesz, gdzie moje łachy są?

No, ale jak to, myśli Ojciec.

Jak se nie siedne, to sie przewróce, myśli Matka.

Jak to możliwe, myśli Ojciec.

Boże Boże mój Boże, myśli Matka.

Wracają w ciszy, tylko słoiki dzwonią w bagażniku. Kompoty bigosy grzybki. Dopiero wysiadając pod domem, zauważą, że ktoś im ukradł wszystkie kołpaki.

To się nazywa milczenie. Adam i Piękniś siedzą przy stole i milczą do siebie. Zasiedli, żeby poważnie pomilczeć. Pewnych spraw nie można po prostu przegadać, trzeba je sobie raz na zawsze wymilczeć, żeby uniknąć nieporozumień. Właściwie to Adam milczy, Piękniś go słucha. Adam jeszcze nigdy na nikogo nie podniósł głosu, dlatego czeka, aż ucichnie mu tam wszystko w środku, żeby mógł zacząć mówić spokojnie. Piękniś nie czuje się winny, to był przypadek, nie słyszał, kąpał się, gdyby wiedział, że ktoś wszedł do domu, nie wylazłby przecież; Piękniś milczy, czeka, aż Adam coś powie, to napięcie jest nieznośne, więc bawi się zegarkiem.

– Skąd go masz? – pyta Adam w tak doskonale cichy i spokojny sposób, że wolałby nie musieć się powtarzać, drugi raz mogłoby się nie udać. Piękniś nie kuma bazy, kogo, co, czego dotyczą pretensje w głosie tak nienaturalnie zimnym; Piękniś taki głos zna z przesłuchań na mendowni i bardzo go nie lubi.

– Co skąd mam?

– Skąd masz zegarek?

Ach, o ten bibelocik świeżo skrojony mu biega, stary ruski szmelc, który Piękniś zdjął z ręki obitego gościa tylko dlatego, że taki sam dał mu kiedyś dziadek na komunię; dziadek był jedynym ludzkim człowiekiem w jego popierdolonej rodzince, tylko po nim Piękniś płakał na pogrzebie, na ojca, chuja jebanego, grobie nie był i nie będzie, wystarczy, że matka tam gęsto gorzkie żale przy czystej odprawia, a potem zarzygana zasypia na płycie nagrobnej i w nocy, jak ją kac zbudzi, ryczy na pół miasta, bo wyjść z cmentarza nie umie; potem ludzie mówią, że tam straszy, dzieci nawet na Wszystkich

Świętych się boją chodzić. Piękniś już zapomniał o wczorajszym, też mu numer, zawsze jak spotyka z kumplami jakiegoś nawalonego frajera, to mu dają wycisk, dla zasady, nie dla zarobku, chodzi o to, żeby porządek był w mieście, żeby ludzie się nie bali po ulicach chodzić; chwasty trzeba pielić, dostanie taki ze szpica, łomotnie ryjem o chodnik, to nie będzie więcej po pijaku łaził ludziom pod oknami, lajer wyśpiewywał. Zegarek; kurwa, o co mu chodzi z tym zegarkiem?

– Jak to skąd? Kupiłem oczywiście.

– Dlaczego kłamiesz?

– Ty weź się, kurwa, odpierdol, zadajesz mi pytania jak pies, co to ma być? Gdzie ja jestem? Z kim ja gadam?

Piękniś wstaje i chodzić zaczyna, ale mieszkanko ciasne, tylko w kółko można, głupio tak, lepiej wyjść albo usiąść z powrotem, niezadowolenie, a nawet gniew srogi uprzednio wyraziwszy na przykład... na przykład... o, szklankę strącić, stłuc można, proszę, jak groźnie, szkło, hałas; może wystarczy, żeby ten tu doktorek zaczął zachowywać się jak należy.

– Brałeś udział w ciężkim pobiciu. Powinienem z tym pójść na policję, zamiast prać ci zakrwawione szmaty.

Czy Piękniś się przesłyszał? Ta ciota go straszy policją? (Pięknisiu, tylko spokojnie, nie zaciskaj tak pięści, chyba nie chcesz zrobić niczego złego.) Piękniś łapie Adama obiema rękami za kołnierz i podnosi sobie na wysokość twarzy, Adam przez chwilę myśli, że właś-

nie nadeszła chwila pocałunku, cóż, że w niestosow-
nej chwili, ale nie, Piękniś po prostu chciał go z bardzo
bliska opluć, tak żeby trafić prosto w usta, przydusza
go przy tym, jeszcze silniej zaciskając dłonie na kołnie-
rzu; Adamowi łzy podchodzą do oczu, czuje ból, brak
tchu i dokonuje odkrycia, że przemoc, której zaznał
tak wyraźnie po raz pierwszy, także jest zbliżeniem, to
fizyczne upokorzenie sprawia mu przyjemność, właściwie chciałby, żeby Piękniś nie rozluźnił uścisku, żeby go
udusił; Adam czuje, że nie tylko ze strachu właśnie się
trochę zmoczył.

— To jest koniec, rozumiesz? — cedzi Piękniś przez
zęby, puszcza Adama i wychodzi, trzaskając drzwiami
tak, że się kruszy kawałek tynku przy futrynie. Jeszcze
słychać jego zbieganie po schodach, jeszcze widać, jak
idzie szybkim krokiem pod domem, ale znika za zakrę-
tem; a więc to już. Odszedł. Nie, to niezupełnie koniec.
Adam czuje jego ślinę na swoich wargach, koniec nadej-
dzie dopiero wtedy, kiedy ona wyschnie.

8

Już wszystko zbadano, choć nie wszystko jeszcze powiedziano; Robert prosił głośno, wyraźnie i wielokrotnie, żeby w razie czego mówić mu prawdę bez fałszywej litości, teraz czeka w gabinecie, aż ten lekarz coś powie, całą historię choroby ma przed sobą, wszystkie wyniki, więc niech przestanie je układać przekładać szeleścić chrząkać wzdychać, niech się skupi, bo to nie jest najprzyjemniejszy moment, mógłby go łaskawie nie przedłużać; Robert jest przygotowany na werdykt, trzy litery, jedna sylaba, jak ostatnie uderzenie młotka zbijającego trumnę: rak.

Adam nie powinien był przychodzić do pracy w takim stanie, ale bał się mieszkania pustego, opustoszałego, opuszczonego; Adam nie może uporać się z Pięknisiem, którego brak wypełnia go szczelnie, Piękniś j e s t dotkliwie nieobecny, nie tylko mieszkanie go pamięta, szpital też i ten gabinet, nawet to krzesło, na którym teraz siedzi pacjent przestraszony i wyczekujący; to na Adamie spoczywa dziś po raz pierwszy w życiu obowiązek poinformowania chorego o tym, że już nie wyzdrowieje, Adam wiedział, że kiedyś go to czeka, teoretycznie był przygotowany, ale w praktyce ten oto pacjent ma imię, nazwisko i historię życia poza chorobą, ten oto pacjent siedzi przed nim osobiście i patrzy na niego człowiekiem; chce wiedzieć, może uda mu się to powiedzieć bezgłośnie, zamilknąć wymownie; może sam sobie to powie?

Robert obserwuje pantomimę lekarza i przybywa mu nadziei, że również tym razem wyjdzie z ulgą na powietrze, jak w czasach młodzieńczej hipochondrii, kiedy od kolejnych orzeczeń lekarskich znikały fantomy dolegliwości, pobłażliwie kwitowane przez lekarzy maksymą w rodzaju: „Znowu pana coś pobolewa, a wyniki ma pan takie, że pozazdrościć; pan to się powinien nazywać Pobolewski". Robert wciąż ma nadzieję, nie ubywa mu jej od milczenia lekarza; Robert, wchodząc do szpitalnego budynku, był żywym człowiekiem, nie wyobraża sobie, że miałby z niego wyjść jako umierający. Odezwijże się, lekarczyku; spróbuj chociaż.

Adam próbuje (przestać myśleć o Pięknisiu):

– No więc... No nie jest dobrze... Się rozwinęło nieładnie paskudztwo... Ja już pana ostatnio ostrzegałem, że tego nie można lekceważyć... Teraz musielibyśmy przeprowadzić bardzo intensywną chemioterapię... Nigdy nie ma gwarancji, a pana organizm jest już osłabiony... Ale pan musi chcieć walczyć... Wszystko trzeba temu podporządkować...

W jednej chwili ciało Roberta staje się workiem wyczuwalnych wnętrzności, wszystkie ignorowane dotąd ukłucia, wzdęcia, napięcia i drobne uciążliwości, które co dzień przypominały mu o tym, że się składa z materii słabej, śmiertelnej i podatnej na rozkład, zaczynają do niego mówić boleśnie, gazy kitłaszące się w jelitach, soki trawienne skwierczące w żołądku, te wszystkie bulgoty podskórne nagle zgodnym i jednoczesnym śpiewem wykonują uporczywe memento na chór mieszany: „Zdechnieszsz, zdechnieszsz..."

– Wie pan, ja nie chcę, żeby rodzina wiedziała. Dotąd udawało mi się ukrywać chorobę... A to naświetlanie... To ja bym musiał przychodzić czy leżeć tu?

– Ja pana właściwie nie powinienem już stąd wypuścić.

– Ale... Czy w ogóle pan widzi sens? Przecież to jest loteria. Ile mogę na niej wygrać: kilka miesięcy, parę lat?

– Nie wolno panu tak mówić...

Robert wie, jakiego pytania teraz nie chce zadać; przypomniało mu się właśnie, jak przed laty o zmierzchu ledwie zdążył zejść z Szałasisk do Palenicy na ostatni pekaes i ominąwszy tratujący się tłum turystów w przednich drzwiach, jedynych, które kierowca raczył otworzyć, lada moment mających się zamknąć i odciąć spóźnialskich od tej szczęśliwej miazgi ludzkiej wewnątrz pojazdu, obszedł szoferkę, zapukał w szybę i zapytał: „Panie, są jeszcze w ogóle jakieś szanse, żeby się stąd dzisiaj wydostać?", na co kierowca po chwili namysłu odparł: „Szanse są zawsze", zasunął szybę i odjechał, ociężale, przepełniony spoconą ceperią, marzącą jeszcze o tym, żeby w zakopiańskim koktajlbarze przedyskutować majestat gór widzianych z okna w jadalni schroniska. Robert wie, że od pytania, którego nie chce teraz zadać,

urośnie przepaść między światem zdrowych, do którego
przynależy lekarz, a światem śmiertelnie chorych, którego reprezentantem Robert właśnie został mianowany;
pyta więc niechcący:

– Czy mam jeszcze w ogóle jakieś szanse, żeby się
z tego wydostać?

Adam wie, że w tym przypadku rokowanie jest
bardzo złe, pacjent umrze najpóźniej w ciągu ośmiu
miesięcy, a i to przy założeniu, że jego organizm zechce mierzyć się z odnotowanymi w klinicznych anna-
łach rekordzistami, ewentualna operacja jest obarczona
dużym ryzykiem, jak również prawdopodobieństwem
komplikacji; Adam wie, że z tego człowieka wycieka życie i medycyna nie zna sposobu, żeby temu zaradzić;
Adam wie, że okłamywanie pacjenta w takiej sytuacji
odbiera mu czas na pogodzenie się ze śmiercią i na tak
zwane ostateczne uporządkowanie swoich spraw, Adam
zna przypadki ludzi, którzy umierali okłamywani i wcale
im nie było od tego lżej; Adam próbuje (przestać myśleć o Pięknisiu), chce to jakoś wypowiedzieć, ale (Piękniś) odbiera mu mowę; rozkłada tylko bezradnie ręce.
Nie powinien był w takim stanie przychodzić do pracy.
Chciałby sobie teraz polamentować lakrimozić doloryz-
ować mizererzyć z rozpaczy się powić powyć posko-
wyczeć pozawodzić, puścić sobie jakiegoś smutnego
kontratenora, gorącą wodę do wanny, a potem krew, ale
teraz nie może, jego łzy są niczym wobec tych, które
właśnie cieką po policzku świeżo skazanego pacjenta;
teraz trzeba go wysłuchać.

Robert jeszcze nie wierzy śmierci, a już się jej boi; ach, gdyby tak można było umrzeć bez umierania, od razu, zgasić się, wyciągając wtyczkę z kontaktu, wyłączyć myśli, myśli. Bardzo nie chce zadać lekarzowi kolejnych pytań, które się w nim tłoczą: czy wyrok jest prawomocny, dlaczego odebrano mu prawo do życia, czy to naprawdę nieodwołalna diagnoza, czy aby się lekarz nie pomylił, czy nie żartuje, czy rzeczywiście grozi mu bezlitosna, kostniczo zimna, nieprzekupna śmierć, taka, co to nie przyjdzie, żeby pogadać o życiu, tylko od razu zabiera się do dzieła, czy chodzi o taką śmierć prawdziwie śmiercionośną i zabójczą, czy na pewno chodzi właśnie o niego, czy rzeczywiście nie pomoże mu nic, nawet jeśliby dał się zahibernować jak Walt Disney, czy naprawdę nie ma ratunku, czy nie da się cofnąć czasu, czy zdąży objechać świat dookoła, co lekarz zrobiłby na jego miejscu, czy to naprawdę prawda, czy będzie bolało bardzo, czy jeszcze bardziej? Robert nie chce pytać, bo nie ma już dla niego dobrych odpowiedzi; nie ma już dokąd uciec przed czasem.

– Czuję, że coś przespałem. Lekkomyślnie wpakowałem się w bardzo niezdrowe małżeństwo z kobietą, której prawdopodobnie nigdy nie kochałem. Być może zrobiłem to dla pieniędzy, ale się przeliczyłem. Ciągle mi się wydawało, że przynajmniej połowę życia wciąż mam przed sobą. Że przyjdzie jeszcze czas, żeby wszystko zmienić. A tu proszę, taka niespodzianka.

Adam słucha uważnie, przynajmniej próbuje (przestać myśleć o Pięknisiu), ale czuje, że jego żałoba po

Pięknisiu jest silna i nader niestosowna wobec żałoby pacjenta po sobie samym; otwiera szufladę, wyjmuje cloranxen i zamiast zażyć tabletkę, podaje pudełko pacjentowi:

– Te pigułki niech pan sobie zażywa, gdyby się robiło smutno.

Robert bierze je bez przekonania i chowa do kieszeni; nie jest mu smutno, że będzie musiał umrzeć, żal mu raczej, że tak niewiele żył za życia, zawartość życia w jego życiu była stanowczo zbyt niska, żeby miał do czego tęsknić.

– Wie pan, pomyślało mi się teraz: skoro nie żyłem tak, jak bym chciał, to może chociaż umrę po swojemu... Ile mi pan daje czasu, jeśli nie podejmę leczenia?

– Niewiele. W każdym razie niewiele tego, co można znieść bez morfiny.

Adam chciał powiedzieć to uroczyściej, patrząc w oczy pacjentowi, ale nie ma siły, spuścił wzrok jak uczniak na dywaniku u dyrektorki; nie chce, żeby łzy w jego oczach zostały mylnie rozpoznane, tylko jednej osobie (Pięknisiowi) te łzy się należą.

– W takim razie muszę ją jakoś przygotować na moje odejście.

– Kogo?

– Moją żonę... Ona cierpi na histerię, bardzo źle znosi moją nieobecność.

Adam widzi w pacjencie tę samą głuchą rozpacz, która i w nim wzbiera, w jednym czarnym jeziorze są skąpani; taka rozpacz wymaga odosobnienia, nie lubi świadków; Adam mówi przez pacjenta do samego siebie:

– Pan musi mieć ochotę do życia... a ja w panu widzę silną wolę śmierci.

– Raczej ciekawość... W końcu to będzie moje ostatnie wielkie przeżycie.

Robert patrzy przez okno: chwieją się gałęzie, wiatr przywiewa jakieś niewczesne płatki śniegu, które kręcą się w powietrzu, jakby chciały opaść na wiosenny grunt jak najpóźniej, żeby nie stopnieć od razu.

– Panie Robercie... Śmierci się nie przeżywa.

Korek jest gigantyczny, wszystko trwa w ekstatycznym unieruchomieniu, nawet kierowcy już przestali kląć, wysiedli z aut, palą papierosy, rozmawiają, grają w karty; Robert się zastanawia, ile czasu musi upłynąć, żeby wrócili pieszo do domów, zostawiając samochody tak, jak stoją, ile czasu trzeba tkwić w korku, żeby zrozumieć, że tym razem już się z niego wydostać nie uda, oto bowiem nadszedł dzień korka ostatecznego, w którym stoją rzędami żywi i umarli, a ściślej: umierający, wszak Robert jeszcze *non omnis*, „jeszcze" stało się teraz kluczowym wyrazem w jego słowniku, dziś jeszcze żyje, jeszcze ma sporo sił, jeszcze może stać w ulicznym zatorze i rozmyślać, na przykład o własnym pogrzebie. Jeszcze go bawi własna próżność: próbuje obliczyć, ileż to stanie osób nad jego grobem, kilkunastu, może kilkudziesięciu dalszych krewnych, kto wie, może i będą tam jakieś oficjalne delegacje urzędników miejskich, którzy śmierć jego stosownie oszacują i uznają za godną krótkiego przemówienia, dajmy na to, zastępcy wydziału kultury. Tylko zastępcy, bo w gazecie ogólnopolskiej pojawi się wiadomość o zgonie Roberta wraz z jednozdaniową informacją o wybranych tytułach jego najgłośniejszych książek, a szef wydziału kultury osobiście zwykł się stawiać tylko na pogrzebach ludzi, którym po śmierci ogólnopolskie gazety poświęcają co najmniej kolumnę; sam prezydent miasta pojawia się osobiście w konduktach odprowadzających na cmentarz zwłoki najwybitniejszych przedstawicieli środowisk kulturalnych, takich, którzy zasłużyli na cały dodatek w gazecie ogólnopolskiej, dodatek specjalny, który czekał na ich śmierć już za ich życia, w żargonie dziennikarskim określany jako „zimne nóżki". Od kiedy popularność Roberta spadła, na jego własne życzenie, choć wciąż pozostawał bodaj najpopularniejszym w kraju pisarzem niepiszącym, znaczenie jego ewentualnej śmierci jest, by tak rzec, umiarkowane; Robert może liczyć co najwyżej na wzmiankę w gazecie ogólnopolskiej i kolumnę w dzienniku regionalnym, spreparowaną zresztą niejako po znajomości, bo w redakcji ma kilku przyjaciół, z którymi dawniej lubił alkoholizować się frenetycznie, jak również jedną zaprzyjaźnioną sekretarkę, z którą cielesne pobratymstwo odczuwał regularnie w okresie wiosennym, każdego roku była jedną z pierwszych znajomych kobiet widzianych przez niego w stroju wiosennym, kiedy już marcowe śniegi topniały i odsłaniały beton chodników. Stukot jej butów na obcasie witał nadejście ocieplenia,

149

Robert rokrocznie z niesłabnącym podziwem przyglądał się jej nogom odsłoniętym aż po stosownie, acz nieprzyzwoicie wysokie partie ud, zawsze wtedy impuls nagły i krwisty kazał mu wybierać numer jej telefonu komórkowego i sprawdzać, czy nie zechciałaby z nim tradycyjnie potopić Marzanny, i choć nigdy nie chciała, błogosławił ją za to, że przywracała mu poczucie odwieczności czasu cyklicznego. Na jej szczere poruszenie swoją śmiercią Robert wciąż więc mógł liczyć, jak również na kilka wynurzeń dawnych współtowarzyszy bachicznych, jednakże śmierć jego nie mogłaby wywołać żałoby narodowej ani też nie spowodowałaby debaty biurokratów rozważających jego kandydaturę na patrona szkół, ulic tudzież bibliotek; jego odejście, mimo prawdopodobnej obecności kilkudziesięciu osób na pogrzebie, byłoby w gruncie rzeczy odejściem niedostrzegalnym, nieistotnym, nieznaczącym. Chyba że Żona zapewni regionalnym szmatławcom atrakcyjny materiał, doznając apokaliptycznego ataku histerii nad jego trumną; lepiej byłoby tego uniknąć. Robert chciałby się wyprowadzić ze zużytego ciała, nie rozumie, dlaczego musi umierać razem z nim, dlaczego nie może po prostu wyjść, tak jak teraz wychodzi z bezużytecznego samochodu, przeciska się między autami, już na chodniku wyrzuca kluczyki do śmietnika i nie przejmuje się, że właśnie zatamował bezruch. Idzie przed siebie, mija; minie także cmentarz. Już wie, że zrobi wszystko, żeby pogrzeb go ominął.

Robert przeczuwa, że w przypadku wiecznego i nieodwracalnego oddzielenia, dusza, nawet jeśli za ciałem tęsknić nie będzie, to wrócić do niego pewnie czasem jej się zachce, wszak nawet zbrodniarz wraca na miejsce przestępstwa. Wydaje mu się niemożliwe, by nieśmiertelna dusza mogła okazać się tak bezduszna, żeby zapomnieć o przyjemnościach i udrękach, dzielonych z ciałem po równo przez dziesiątki lat; rozbrat zgonem czyniony musi pozostawiać w duszy żal za jej ziemską powłoką, nawet jeśliby ciało miało okazać się wyłącznie znoszonym kombinezonem, nawet jeśliby miało być tylko przeznaczoną do rozbiórki ruiną, to przecie stroju, który się nosiło całe życie, domu, w którym się przez całe życie mieszkało, nie sposób porzucić beznamiętnie, nie sposób nie śnić o nim nostalgicznie. Jeśli dusza śnić będzie o ciele, z którego się uwolniła, lepiej, by to ciało w godnym miejscu porzucone zostało, nie upchane w rodzinnym grobowcu na przykościelnym wysypisku śmierci, nie w cmentarnym tłumie innych dusz zdmuchujących znicze nad swoimi trumnami, lecz w przestrzeni szerokiej i bezludnej, ciszą wyściełanej, mgłami dopieszczanej, w wodzie kamiennej, na pastwie wiatru; w znośnej lekkości niebytu.

Robert nie chce się wtapiać, woli się rozwiać. Wchodzi na cmentarz, żeby rozwiać wątpliwości.

Na iluż to w życiu był pogrzebach, czterech, może pięciu, na wszystkich za młodu, potem już nie mógł nie chciał nie potrafił, bał się cudzej żałoby i niestosowności kondolencji, czczych obietnic współczucia, składanych tylko po to, żeby jak najszybciej móc się oddalić, broń

Boże nie spotkawszy dotkniętych śmiercią oczu żałobnika. Cmentarz to złomowisko pamięci; Robert nigdy nie rozumiał, dlaczego ludzie przychodzą rozmawiać ze swoimi umarłymi na cmentarz, czyżby wydawało im się, że dusza nie potrafi przeniknąć przez resztki truchła, butwiejące drewno i ziemię, czy naprawdę myślą, że stając przy nagrobku, korzystają z jedynej dostępnej rozmównicy, czy naprawdę wierzą, że ich ukochani zmarli leżą tam wiecznym pokotem i radośnie sobie gwarzą z sąsiadami, czekając, aż ktoś bliski umrze, żeby się położyć obok; czemu pozwalają księżom żegnać ich słowami o prochu, a potem każą gnić w wilgoci i ciemności? Robert nie znosił katolickich tradycji funeralnych pospołu ze świecką egzaltacją tanatologów, bredzących o jednaniu się z pramatką, pokornym zajęciu swojego miejsca w łańcuchu pokarmowym; nawet jeśli niechęć do stania się karmą larw much plujek, trupnic, ścierwic, nicieni, wijów i innych boskich stworzeń jest egoizmem, Robert nie ma wyrzutów sumienia. Jeśli jest w nim coś na tyle zdrowego, że mogłoby go przeżyć na ziemi, użyźniając cudze życie, chętnie się rozda; reszty wolałby nikomu nie zostawiać.

Robert nie ma jasnych wspomnień z domu rodziców (o którym lepiej zmilczeć), najjaśniejsze z jego dziecięcych wspomnień wiąże się z nadmorskimi wczasami, był tam tylko z matką, a kiedy odwiedził ich ojciec, zanim jak zwykle zdążył rozpętać piekło (cisza!!), poszli razem na plażę; Robert pamięta piaszczysty brzeg szczelnie wypchany stadem ludzkich fok i bezradność ojca, który objuczony składanymi leżakami rozglądał się za wolnym miejscem i pytał: „No, to gdzie się rozkładamy?" Robert przystaje nad miejscem, w którym rozłożył się jego ojciec, babcia mu go taktownie ustąpiła po dwudziestu latach, dziwne, że pogrzeb babci Robert zapamiętał jako dzieciak dużo lepiej niż pogrzeb ojca, może dlatego, że na pogrzebie ojca Robert był, jak to się mówi, nieobecny, myślał bowiem o matce, o tym, jak odnalazłaby się w tym tłumie obcych ludzi, wśród tak zwanej nowej rodziny ojca, myślał wtedy: dobrze, że matka tego nie dożyła, choć może poczułaby ulgę (dość! niedoczekanie wasze!). Babci zmarło się kiedyś tam srogą zimą; Robert pamięta przerażenie, tylko nie pamięta już czyje, w każdym razie kogoś, kto widział, że grób się pali: „Myślę, Jezusku, co to już ognie piekielne upominają się o tę starą, lecę sprawdzić, a to grabarze nie mogli rozkopać stwardniałej od mrozu ziemi, więc żeby roztopić, palili szczapy po trumnach na dziadku, znaczy, tam gdzie leżał". I wszyscy tak jeden po drugim, jeden na drugim, choć za życia nie zawsze było im po drodze; nieopodal jest grób wujka i ciotki, to co innego, ci leżą razem na własne życzenie.

Robert pamięta, że ciotki zawsze ubywało: kiedy nauczyła się żyć bez jednej nogi, rak przeniósł się na drugą, potem amputowano jej pierś, a nim zdążyła zapytać wujka, czy nie przestanie jej kochać, jeśli w ogóle nie będzie miała piersi, nowotwór zjadł jej mózg. Wujek kochałby ją nawet, gdyby został z niej tylko głos, zawsze powtarzał, że miłość poznaje się po tym, że czyjegoś głosu pragniesz bardziej niż ciszy, mówił, że kochać to zgodnie przerywać rozmowę, żeby posłuchać deszczu. Deszcz padał także podczas pogrzebu ciotki, na którym wujka być nie mogło, czekał już w chłodni, aż się kapelan da przekonać, że samobójstwo popełnił z rozpaczy po zmarłej żonie, więc musi zostać pochowany razem z nią, nawet jeśli Kościół katolicki wyraża sprzeciw, nawet jeśli ksiądz proboszcz wyraża wątpliwości; wujek bowiem powiesił się na klamce (Roberta zawsze zdumiewała techniczna strona tego przedsięwzięcia, ale zrozumiał, że siła nieukojonej żałoby pociągnęła wujka za nogi), kiedy nieopatrznie dzieci zostawiły go na kilka godzin samego, dzień po śmierci cioci, przekonane, że połknął przy nich środki uspokajające (wypluł, znaleźli je potem w jego kieszeni). Ostatecznie księdza udało się nakłonić, tylko grabarze trochę marudzili, po co było w ogóle zasypywać.

Niektóre z płyt nagrobnych są upiornie przechylone, akurat pod zachodnim skrzydłem cmentarza odkryto pokład, który o parę lat przedłużył żywot kopalni, do pierwszego tąpnięcia; górników pochowano już we wschodniej części. Robert wśród częściowo zapadniętych nagrobków odnajduje ten, z którego zawsze zsuwały się znicze zapalane przez szkolne delegacje; pogrzeb nauczycielki był pierwszym, w którym uczestniczył, i tym najlepiej zapamiętanym, być może z powodu widoku trupa wystawionego przed pochówkiem w otwartej trumnie. Frekwencję w kondukcie zapewnił jej zawód, ale poza wszystkimi klasami (parami, parami) i gronem pedagogicznym nie żegnał jej nikt; to był pogrzeb bardzo starej panny. Uczyła geografii, o której nie miała większego pojęcia, świat jej nauczycielskiego staropanieństwa nie miał zbyt szerokich horyzontów, rozległość globu niemal jej urągała, drażniła ilością niedostępnych krajów; w gruncie rzeczy geografia była najbardziej niestosownym przedmiotem wobec jej nieznoszącej zboczeń dróżki z domu do szkoły i z powrotem. Czasem, kiedy się pochorowała, delegacja klasowa szła do niej z odwiedzinami, raz czy dwa wyznaczano do tej wizyty Roberta, który zapamiętał ziejącą z każdego kąta samotność kobiety permanentnie skrępowanej wszystkim, co nieoficjalne i spontaniczne; była w stanie jakoś egzystować jedynie w uniformie, jedynie w roli, którą grała jako belfer, prywatnie zdawała się kompletnie pogubiona, zmieszana, te same dzieciaki, które drżały przed nią pomiędzy dzwonkami, poza murami szkoły były dla niej postrachem; kiedy nie mogła ich strofować, oceniać, kiedy nie mogła nimi zarządzać, okazywała się zupełnie bezradna. Ich wizyty wprawiały ją w konfuzję, miała za złe, że ktoś naruszył intymną przestrzeń jej pojedynczości, ale też nie mogła tego im tak po prostu dać do zrozumienia, przecież byli w pewnym sensie oficjalną delegacją, wiedziała, że to taka niepisana zasada, jak przynoszenie cukierków dla całej klasy w dniu urodzin; pozostając na chorobowym, musiała się liczyć z wizytą klasowej delegacji, zresztą, zawsze zapowiadali ją telefonicznie, mogła się jakoś wystroić, podmalować, uprzątnąć wstydliwe ślady staropanieńskich tajemnic

– a jednak nie potrafiła w żaden sposób zakamuflować smutku, który lągł się we wszystkich sprzętach, w doniczkach z karłowatymi fikusami przygarniętymi z pokoju nauczycielskiego, w ścianach pomalowanych wałkiem w obrzydliwy wzorek, w makatce z papieżem – jedynym męskim wizerunkiem widzialnym w całym mieszkaniu, w kanapie wypełnionej kasztanami, żeby choróbsko nie wzięło. A jednak brało, coraz częściej brało; uczyła prawie do samej śmierci, jeszcze po naświetlaniach, nigdy nie zdejmując beretu.

Robert dochodzi do rzędu wielkich pomnikowych grobowców rodzinnych, wśród których straszy masywna bryła pustej wciąż jeszcze, ale już najdostojniej się prężącej krypty Teściów; ten domek wciąż jeszcze czeka na swoich lokatorów, ale już jest doglądany i czczony jak najcenniejsza rodzinna pamiątka, Teściowie wykupili sobie miejsce niezagrożone szkodami górniczymi, w strefie przeznaczonej dla najszacowniejszych obywateli, i już za życia mają swój grób z wykutymi nazwiskami, datami urodzenia i miejscem na datę śmierci, już przychodzą go czyścić, polerować marmur, przemywać litery z taką czcią i pietyzmem, jakby nie kamień pieścili, tylko mumifikowali zwłoki, co tydzień od nowa, po każdym kwaśnym deszczu, po każdej wichurze zasypującej cmentarz liśćmi. Moszczą sobie gniazdko na ostatnie odpoczywanie, dumni z tego, że nikogo z ich rodziny nie pochowa się w grobie, lecz w grobowcu (zwłaszcza Teść zawsze był czuły na punkcie słów, którymi można było jego życie wyolbrzymić, uszlachetnić), przyjeżdżają na cmentarz jak do letniej willi, głupio im tylko, że wciąż jeszcze nie mogą oficjalnie przychodzić tu we Wszystkich Świętych, kiedy na cmentarzu jest największy tłok, nie mogą złożyć wieńców i zapalić zniczy, ludzie wzięliby ich za idiotów, wszyscy wiedzą, że tymczasem grobowiec jest pusty, jakie to nieszczęście w szczęściu, ale cóż, i tak można przespacerować się, niby to mimochodem podsłuchać, co też ludzie mówią, jak zazdroszczą, jak przytłoczeni ogromem i wystawnością grobowca wyrażają podziw i szepczą sobie o tym, jak to musi się dobrze leżeć w takim pięknym grobie, pański to grób, królewski, tu się nikogo ziemią nie przysypuje, tylko składa na kamiennym katafalku, takiego grobowca nie da się przeoczyć, nie można go podeptać, w jego cieniu można się schować przed upałem, wielgi on, a ile musioł kosztować, lepi nie pytać; Teściowie lubią się ukradkiem przysłuchiwać, ale woleliby mieć komu składać pośmiertne honory w błysku fleszy, cóż, kiedy oboje pochodzą z rodzin długowiecznych, w dodatku babcie i dziadziusiowie, uparciuchy, już sobie zastrzegli, że zalec chcą na swoich cmentarzykach gdzieś tam daleko od miasta, zwłaszcza rodzice Teścia, niezupełnie dumni z kariery politycznej syna, nie chcieliby z nim leżeć w jednym grobowcu, matka Teścia, choć ledwie zipie, potrafi się odgryźć, lepiej jej nie ruszać, może narozrabiać, media tylko czekają na smaczny kąsek, zaraz, jak ona to ostatnio powiedziała, że brzydzi się sarmackim teatrzykiem syna przy krucjatowo-katolickim akompaniamencie synowej, gdyby ktoś z mediów się do niej dorwał, gotowa skompromitować Teścia jedną z tych swoich historyjek o *Międzynarodówce* śpiewanej do kołyski, o ładnej czerwonej chustce, którą mu wiązała, kiedy szedł w poczcie sztandarowym na pierwszego maja, dajmy spokój rodzicom Teściów, niech sobie żyją, jak chcą, i grzebią się, gdzie zechcą, byle siedzieli cicho.

Robert przygląda się ścianie grobowca i nie wierzy własnym oczom: obok imienia i nazwiska Żony widzi też swoje imię i nazwisko. Musieli się długo zastanawiać, litery wyglądają na świeższe, wykute inną ręką, poza tym tylko na Robercie oprócz gwiazdki i daty urodzenia zdążyli już postawić krzyżyk.

9

Żeby mu to było ostatni raz, to jest niedopuszczalne, taka sytuacja nie może się więcej powtórzyć, Pan Mąż nalega, perswaduje, tłumaczy, że dom jest obserwowany przez fotoreporterów, że Róża jest chora i nie można w ten sposób wykorzystywać jej słabości, że absolutnie nie mogą ze sobą tutaj sypiać; w takim razie niech sypiają gdzie indziej, słyszy, niech się wreszcie wyprowadzi i przestanie wszystkich oszukiwać, słyszy, ale oczywiście tego nie zrobi, bo jest wygodnickim skurwielem, słyszy; Pan Mąż nie życzy sobie takiego tonu we własnym domu, zwłaszcza że żona jeszcze śpi; Pan Mąż słyszy, że nie powinien przy kochance nazywać żony żoną, teraz już jasne, że nigdy się nie rozwiedzie, słyszy też trzaśnięcie drzwiami i silnik odjeżdżającego samochodu. Za dużo hałasu; zagląda do sypialni, Róża śpi, Pan Mąż chętnie położyłby się obok niej, jest naprawdę wykończony, musi tylko się trochę odświeżyć. Ustawia w łazience lustra pod takim kątem, żeby obejrzeć sobie plecy, no są ślady, na pośladkach też, ale Pan Mąż nie może mieć pretensji, sam się tego domaga, nie ma grzmocenia bez drapania, pazury muszą pracować, a niechby i do krwi, świetnie jest doprawić miłość szczyptą bólu, ona go drapie, on ją ciągnie za włosy, podczas gdy ich genitalia mlaszczą, Pan Mąż lubi sobie poswawolić, nazywając rzeczy po imieniu, lubi być w łóżku wulgarny, przy Róży musi liczyć się ze słowami, ale kochanka pozwala na rozrzutność: każe jej pytać, co z nią robi, a potem odpowiada zgodnie z prawdą, że właśnie napluł sobie na rękę i przeciągnął jej po piździe, żeby łatwiej mu było włożyć, przekleństwa to też przyprawy, lubi w chwilach namiętnej współpracy pieszczotliwie nazywać ją kurwą, dziwką, suką czy kim tam jeszcze (im bardziej zapamiętale przeklina, tym mniejszy ma zasób wyzwisk), ileż w tym pikanterii; kochanka jest dumna, że to właśnie z nią pan dyrektor banku uprawia tak zwany drapieżny seks.

Róża stoi w drzwiach łazienki i przygląda się wnikliwie Panu Mężowi, który prezentuje swoje zadrapania, jakby nowymi tatuażami się zachwycał; Róża nie rozumie tego, co widzi, denerwuje się, dopiero co się obudziła, a już ma nowy powód do zaśnięcia.

– Jezus Maria, skradasz się jak upiór! – Pan Mąż zauważa, że został zauważony, przestraszyła go, w dodatku przyłapała na śladach, cały jest pokryty tropami jak świeżo spadły śnieg, wszystkie ścieżki wiodą do kochanki, nie ma jak się ukryć, nie można nic wytłumaczyć; Pan Mąż wie, że musi zrobić żonie twardy reset już z samego rana, no trudno, obudziła się wcześniej niż zwykle, to przez te podniesione głosy, jednak. I znowu go obwąchuje.

– Czyj to zapach? Kto tu był? Co tu się dzieje?

– Uspokój się. Nie psuj nam dnia od samego rana.

– Przecież czuję... Kim ty cuchniesz... Kto cię tak podrapał...

– Słuchaj, spóźnię się przez ciebie do pracy, nie rób scen, bo zaraz znowu mi tu padniesz, a ja nie mam czasu się tobą zająć.

– Dlaczego mi to robisz? Ty łajdaku...

– Obrażasz mnie, a potem nawet tego nie pamiętasz.

I już, Pan Mąż podtrzymuje ją, żeby nie uderzyła głową o kafelki, bierze Różę na ręce i przenosi przez próg w stronę sypialni. Kładzie ją do łóżka, przykrywa; za jakiś kwadrans Róża będzie miała szansę wstać jeszcze raz, tym razem prawą nogą, Pan Mąż w tym czasie weźmie prysznic i się ubierze (golf, konieczny będzie golf, na szyi też ma ślady).

Cóż za szczęśliwe przebudzenie, promienie słońca wdzierają się przez szpary w żaluzjach, drobinki kurzu tańczą w powietrzu, Pan Mąż pogwizduje w łazience, Róża przeciąga się i wstaje, trzeba przygotować śniadanko. Pan Mąż po chwili już w garniturze, dopina teczkę, znowu przesadził z hugo bossem, tyle razy mu tłumaczyła, że wystarczy kilka kropel na szyję, Róża poprawia mu krawat, Pan Mąż pyta, jak się jej spało (lepiej, żeby się w język ugryzł), buziaczek, dobrze, buziaczek, jak zwykle dobrze, kochanie, Pan Mąż już się spieszy, taki robotny, ostatnio mówi o kilku ważnych transakcjach, od których wiele zależy, dlatego wychodzi wcześniej i wraca nieco później, dziś też może się tak przytrafić, więc gdyby co, niech Róża się nie martwi, potem sobie to wszystko odbiją, wyjadą, żadnego palmtopa, żadnych służbowych komórek, Pan Mąż obiecuje, domek w Toskanii, chianti w cieniu cyprysów, długie rozmowy i głębokie pocałunki, ale teraz musi już lecieć, buziaczki, pa, a kanapki, nie trzeba, kupi jakiś drobiazg w bufecie albo zrobi sobie głodówkę, żeby lepiej mu smakowała kolacja, nie, niech Róża nie mówi, co ma w planie na dzisiaj, niech to będzie niespodzianka.

Dziś w planie jest szczególnego rodzaju test konsumencki; Róża od pewnego czasu wzbogaca menu w sposób, by tak rzec, nacechowany, przyrządza potrawy z afrodyzjaków, wierząc, że Pan Mąż od tego się w niej zadurzy na umór, owszem, Pan Mąż co dzień dostaje w żarciu kardamon, galgant, lulecznicę, żeń-szeń i inne duperele, lecz przecież nie z ich powodu czasem chodzi jak ocipiały i czuje, że jego przekrwiony bolec nie ustaje w wysyłaniu do mózgu sygnałów, fakt, Pan Mąż miewa dni, w których własnoręcznie musi spuszczać nadmiar adrenaliny w łazience, między biznesowymi spotkaniami, ale nie lubczyk to sprawia, Pan Mąż po prostu pudruje sobie kinol (spokojna głowa, stać go na koks klasy luks), nie codziennie, no bez przesady, w zdrowotnych odstępach, Pan Mąż właściwie dziwi się, że światowa organizacja zdrowia nie zaleca wciągania porcyjki śniegu raz na parę dni; bywa przecież, że człowiek jest przymulony o poranku, a kontrahenci czekają w kolejce, Pan

Mąż nie może sobie pozwolić na pusty przelot, przed rozpoczęciem dnia roboczego nakręca w sobie wszystkie trybiki, czasem podwójna espresso nie wystarczy, kiedy nieco dłużej trzeba być na chodzie.

Dziś jako dodatek będzie galaretka ze szpiku; taksówkarz przywiózł worek kości, myśląc, że szykuje się uczta dla pieska, nie, proszę pana, to dla męża, no co pan tak dziwnie patrzy. Róża wysypuje na stół kości, trzeba je pociąć tasakiem, żeby wyjąć szpik, Róża wie, jak sobie poradzić, to nie zajmie wiele czasu, chyba żeby zadać sobie pytanie: właściwie czemu tak? Czemu to ma służyć? Doktor nakazał skupiać się na jakiejś czynności, żeby odganiać ciężkie myśli, ale co robić, jeśli ruchy zaczyna spowalniać pytanie „po co?". Róża odkłada kości i zabiera się do czegoś innego, chce poszatkować, zetrzeć, wyklepać tłuczkiem do kotletów pytanie „w imię czego?". Nie daje rady, dolewa wina do wody w garnku, stawia na wolnym ogniu, ale odpowiedzi na pytanie o sens też tam nie ma.

Róża zasiada na zydelku i patrzy na kuchenny rozgardiasz, coraz mniej widząc; nie wie, gdzie się podziało jej życie. Nie wie nawet, kiedy je zgubiła.

Pan Mąż stara się znaleźć właściwe określenie dla stanu, w którym się znalazł, jest zdeprymowany, nie, to za słabe, skonfundowany też nie brzmi dobrze, może zbity z pantałyku, czy ktoś wie, co to jest pantałyk, zdezorientowany: o, lepiej, bliżej, ale poszukajmy jeszcze, patrząc razem z Panem Mężem, jak chłopcy na linach zdejmują największy billboard w mieście. Twarz wielkiego formatu wykrzywia się w nieładnych grymasach, kiedy wielka płachta nierównomiernie powyginana zsuwa się w dół, jeszcze chwila i Róża zwinięta w rulon zalegnie na betonie. Pan Mąż nie wie nic o przyczynach; chłopcy też nie wiedzą, dostali fuchę, to się cieszą, płacą im od powierzchni, dzisiaj zdejmują, jutro będą naklejać, też jakąś gębę, ale nawet nie sprawdzali, co to za reklama. Pan Mąż jest zmartwiony, jak również przestraszony, chciałby o tym porozmawiać, wyjaśnić, czy Róża na trwałe przestała być twarzą wielkiego formatu, czy to wynika ze spadku jej popularności, czy to aby nie znak tak zwanego załamania kariery, ale z kim, gdzie, kogo zapytać, ludzie, moja żona znika z plakatów, nie wiecie, co to może oznaczać? Pan Mąż musi sobie dać czas, żeby to przemyśleć, przeanalizować, czy do wiadomości społecznej przeniknęły jakieś odstręczające informacje na temat Róży, czy jej chorobie nadano jakiś negatywny kontekst i społeczeństwo przestało współczuć, czy wycofanie z serialowego obiegu wpłynęło na osłabienie wizerunku, czy oczywiste ograniczenie pojawialności się w mediach i bywalności na bankietach wpłynęło na spadek rozpoznawalności, a co za tym idzie, zaniżyło współczynnik promowalności produktu; to dziwne, ale Pan Mąż czuje się nieswojo właśnie teraz, kiedy Róża przestaje na niego patrzeć we wszystkich kluczowych i strategicznych punktach miasta, choć wcześniej koledzy z kurtuazyjną życzliwością dowcipkowali, jak też czuje się mąż, którego żona ma oko na tyle miejsc jednocześnie. Pan Mąż czuje się okaleczony, zdegradowany, jakby mu obcięto pagony, to go dotyka osobiście, jakże ma skutecznie prowadzić negocjacje wśród złośliwych uśmieszków i szepcików, nawet nie wie, co odpowiedzieć, jeśli ktoś zechce zapytać, niby to dla rozluźnienia atmosfery, tak dygresyjnie, żeby odetchnąć od napięcia biznesowych rozgrywek: „A jak zdrowie szanownej małżonki? Widzieliśmy, że plakaty zniknęły... To pewnie wymiana na świeższe, jakaś nowa kampania z jej udziałem się szykuje, tak?" Pan Mąż wyobraża sobie dziesiątki różnych sposobów, na jakie potencjalni kontrahenci mogą nawiązać do zniknięcia twarzy największego formatu z miejskich ścian, przygotowuje dziesiątki odpowiedzi, które mogłyby mu pozwolić utrzymać nerwy na wodzy i zachować silną pozycję w rozmowie, ale wie, że nie ma na to szans, tym biznesem rządzi diabeł, ten interes żywi się szczegółami, twarz Róży spoglądająca z billboardów była poważnym atrybutem, naprzeciw biurowca Pana Męża także wisiała jej podobizna, kiedy negocjacje nie układały się po jego myśli, przerywał rozmowę, niby to dla rozprostowania kości wstawał, otwierał okno i tak dygresyjnie, dla rozluźnienia atmosfery, omiatając wzrokiem miasto, wskazywał na billboard, o, to moja żona, przepraszam państwa, ale właśnie sobie przypomniałem, że miałem do niej zatelefonować, no tak, to robiło wrażenie, Pan Mąż wychodził na chwilkę niby to zadzwonić do domu, a potencjalni kontrahenci doskakiwali do okna i kiwali z uznaniem głową; zdjęcia zdjęcia Pan Mąż tak łatwo nie wytłumaczy, zwłaszcza że wciąż nie bardzo umie to wytłumaczyć sobie.

– Ach, to już dziś? No rzeczywiście... Nie, nic się nie stało, po prostu upłynął termin umowy, kontrakt się skończył, przecież wiesz, że nie podpisywałam nowego... Będziesz dzisiaj normalnie czy dużo później? Aż tak źle? Jak to nie czekać z kolacją... Mhm... rozumiem... Tak, oczywiście, że wszystko rozumiem, ale...

Róża okłada słuchawkę pięścią, Pan Mąż dziś zastrzegł sobie prawo do niezwykle późnego powrotu i rozłączył się, nim zdążyła zaprotestować. Przed Różą jeszcze jedno wolne popołudnie, fauna domowa przygląda się jej znużeniu i wzdychając, z powrotem kładzie łeb na łapach, z panią w takim stanie nie ma szans na szalony spacer po lesie, pani w takim stanie co najwyżej podrapie za uchem i zacznie się uskarżać, o, właśnie zaczęła:

– Znowu nas panek zostawił... I co my teraz zrobimy... Kochana psina... Ty to masz dobrze...

Róża wie, że nie ma niczego bardziej przygnębiającego dla człowieka niż przywyknąć do bycia niekochanym, wziąć to za stan naturalny, oczywisty, za regułę, potwierdzaną czasem wyjątkami. Bywa, że trzeba wtedy każdego poranka przekonywać się do sensowności rzeczy najprostszych, zaraz po przebudzeniu, samotnie w łóżku o wiele za dużym mówić do siebie jak pielęgniarka do niedołężnego pacjenta: „A teraz wstaniemy, otworzymy okna, wywietrzymy mieszkanko, umyjemy się"; Róża się boi, bo z czasem może dojść do tego, że przestraszona nagłym bezdechem będzie musiała sobie po kilka razy dziennie przypominać: „Oj, musimy oddychać, jeśli przestaniemy oddychać, to już nie pożyjemy, a przecież chcemy sobie jeszcze trochę pożyć, mimo wszystko, prawda?" Niekochanym niewiele się przytrafia, ich nieżywe życia porastają pleśnią, ich dusze się duszą. Róża bywała uwielbiana, podziwiana, adorowana, że też, sięgając po miłość, musiała trafić na Pana Męża, tak niemiłosiernie nieobecnego; teraz ma więcej czasu niż życia. Nadała imiona wszystkim kwiatom, rozmawia z nimi codziennie, a mimo to zdychają; Róża nie wie, co się z nimi dzieje, uparcie podlewa, nie rozumie, po co ten strajk głodowy, jaki mają interes w więdnięciu (śmierć zawsze znosi pierwsze jaja w doniczkach, potem przychodzi czas wylęgu, wiatr otwiera nocą okna, pękają lustra, kogoś ubywa). Wróży sobie z opadłych płatków: nie dba, to oczywiste, ale czy kocha? Chce jej się czytać, ale jej się nie chce. Jest obolała od snów. Jak się śpi samotnie, ostrze dni samo tnie.

Pan Mąż wraca przed świtem, też chłop nie ma lekko, jedna pilnuje, żeby z nią zasypiał, druga, żeby się przy niej budził. Zdejmuje buty, głaszcze ziewającego psa, który przyszedł powitalnie zamachać ogonem i teraz się przeciąga; w kuchni pali się światło, Róża zapomniała zgasić? Nie, siedzi przy stole, pewnie zasnęła, wygląda, jakby się doczekała z obiadem na śmierć; nad potrawami błąka się jakaś mucha. Pan Mąż podnosi talerz z galaretką, wącha i wzdryga się, spogląda na Rożę; Boże, dlaczego ona ma otwarte oczy, nie śpi? Przesuwa jej dłoń tuż przy twarzy, nic, nawet nie mrugnęła; Pan Mąż boi się jej dotknąć, może jest zimna, to by dopiero było, gdyby umarła. Zaraz, patrzy na niego czy nie, może śpi z otwartymi oczami, nie takie rzeczy się zdarzają; Pan Mąż robi kilka kroków w lewo i w prawo i wciąż nie jest pewny, czy Róża na niego patrzy, czy to tylko złudzenie optyczne, jak w muzeum, kiedy iluzjonistyczny portret zdaje się wodzić wzrokiem za zwiedzającym.

— Nie spałam przez ciebie całą noc — mówi Róża i po raz pierwszy słyszy dowodnie, że przerażeni mężczyźni są jak chłopcy: krzyczą ze strachu falsetem.

10

Pięknisiu, mój Pięknisiu, czemuś mnie opuścił.

Adam jest wygnany z siebie; jego ciało leży i lży go za to, że do opuszczenia dopuścił, nie ma siły, żeby podnieść rękę, oddycha ciężko na wznak i czeka, aż ciężar zelżeje (należy leżeć: czekanie ma kamień u szyi i garb od niego rośnie). Znieruchomiał na dobre, jest teraz czuły jak sejsmograf, zauważa każde drgnienie, duchy boją się przemykać po kątach, bo każde stęknięcie podłogi zwraca jego uwagę. Cały dom drży w posadach regularnie dwa razy na godzinę, kiedy autobus przejeżdża po dziurawym asfalcie, kieliszki i szyby w kredensie dzwonią o siebie, fajansowa filiżanka za każdym razem przesuwa się o kilka milimetrów w stronę krawędzi. Każdego dnia Adam, wracając z pracy, nastawiał budzik i przesuwał filiżankę w głąb kredensu; teraz już żaden zegar nie odmierza czasu, a fajans jest niebezpiecznie bliski upadku (aż tyle się dzieje, kiedy nic się nie dzieje; wciąż istnieją zagadnienia, które tymczasowo odwracają uwagę: ile autobusów musi jeszcze przejechać, żeby filiżanka przechyliła się przez brzeg półki i runęła; rozbije się w drobny mak czy w kilka kawałków, a może tak szczęśliwie uderzy o ziemię, że przetrwa bez uszczerbku; poczekajmy – jeśli w mak, Adam już nigdy nie zobaczy Pięknisia, jeśli w kawałki, będzie go widywał i niczego mu to nie da oprócz cierpienia, jeśli filiżanka ocaleje, Piękniś wróci). Jedynym powodem, dla którego Adam nie chce umrzeć, jest lęk przed tym, że może rzeczywiście człowiek przed śmiercią widzi jeszcze raz całe swoje życie; jakież to musi być przykre dla samobójców: chcąc wyjść z męczącego filmu przed zakończeniem, musisz go zobaczyć od początku, kto wymyślił tę torturę? Cicho, za oknem szczekanie, za ścianą szczękanie, gadanie, ktoś talerze zmywa, nad sufitem szumy, stuki, śpiewy, mydło wyślizgnęło się; życie się kłębi wszędzie wokół tak niedelikatnie. Czemuś, Pięknisiu, odstąpił? Tak dolegliwie odległy, czemuś twarz swoją odwrócił? Trzewia też nie szanują bezgłośnej rozpaczy; jak tu ze smutku umierać, kiedy w brzuchu burczy, Adam chciałby się samym sobą wzruszyć, na śmierć zagłodzić wzniośle, a tu burczenie swojskie takie, hałaśliwe, bezczelne; Adam próbuje wznieść się ponad pomruki pustego żołądka, ponad tę pieśń żałosną, wszak bezruch i bezgłośność sobie poprzysiągł; autobus przejeżdża, filiżanka spada, Adam zrywa się z łóżka i patrzy: spadła płasko, pozornie ocalona, pękła w kilku miejscach, jeśli ją tylko ruszyć, niechybnie się rozpadnie na kawałki. Adam jest poruszony, wprawiony w ruch, tego się już nie da powstrzymać, Piękniś gdzieś przecież jest, jeśli więc można go choć raz jeszcze zobaczyć, usłyszeć, dotknąć, nie ma takiej ceny, której by nie warto za to zapłacić. Zagląda do kuchni, w zlewie piętrzy się sterta nieumytych naczyń, podnosi jedną ze szklanek po soku i patrzy na mrówki, które buszują w środku. Wącha się i nie poznaje własnego zapachu; więc to prawda, że po kilku dniach bez mycia wraca do człowieka cuch pierwotnie mu przypisany, to nie jest smród spoconego ciała, lecz odór zwierzęcy, stajenny, nieco piżmowy, teraz już wie, co w nim zabijają mydło i dezodoranty; natychmiast przypomina sobie zapach Pięknisia, któremu zdarzało się zwalić do łóżka prosto ze swoich ulicznych wędrówek, i wtedy właśnie ulicą pachniał, jakby skóra przechwytywała i zatrzymywała wszystko, czym w ciągu dnia zdążyła nasiąknąć: koks, hasiok, hałdy, stęchłe podwórka, szlugi jarane na skurwidołkach, stary materac, na którym tańczą chłopaki, skórkę od pomarańczy skradzionej na dworcowym stoisku, smród ścieków z oczyszczalni pobliskiej. Nie ma go, nie ma nigdzie, noc ciemna zapadła w samo południe; brązowa woda płynie z rur. Adam słyszy dzwonek, dopada telefonu, odbiera, ale to tylko ktoś ze szpitala niepokoi się, dopytuje, żąda wyjaśnień i usprawiedliwienia nieobecności. Adam nie reaguje. Przygląda się mrówkom.

Matka zawsze powtarzała: jak cię coś gnębi, zacznij od tego, żeby zrobić wokół siebie porządek, może ci się wydawać, że wszystko jest czyste i posprzątane, ale przyjrzyj się dokładnie, zawsze znajdziesz jakieś niewytarte półki, kłębki kurzu na szafach, pajęczyny pod obiciami krzeseł, a jeśliś nawet wczoraj ostatniego pająka wessał do odkurzacza, podłoga błyszczy od pasty, okna są tak czyste, że ptaki się od nich odbijają, a mimo to smutek ci nie odpuszcza, bierz się do porządkowania porządku, nawet gdybyś miał przestawiać krzesła z miejsca na miejsce, zmieniać kolejność książek ułożonych na regałach, w końcu natkniesz się na przeoczony kawałek brudu i powitasz go z radością, wierz mi, synuś, jak cię co trapi, bierz się do sprzątania, zanim będziesz gotów zrobić porządki w sobie samym. Adam omiata wzrokiem rozgardiasz, nie wie, od czego zacząć; buty dają mu znaki, żeby je napastował, ale nie ma śmiałości. Tak długo leżał, nawet się stęsknił do siedzenia, przysiadł na taborecie, i już mu się przesiadło. Wie, że musi się zabrać do roboty, ale brak mu zapału, czuje tylko stan przedzapałowy. Dobre i to; zaczyna od zbierania śmieci. (Wygląda nietęgo, nędzarz z urobkiem butelek wyjętych ze śmietników bierze go za konkurencję, kiedy Adam wynosi kubeł na podwórko: „Pitej stond, synek, to je mój rewir. I tak już wszystko wyzbierane".)

Serce mu spuchło; do czegokolwiek by się zabrał, uwiera go, jakby zajmowało w ciele kolejne połacie, zakładając strefy okupacyjne na wszystkich narządach: wątroba, nerki, jelita, płuca są teraz sercami, w każdym zakątku ciała gnieździ się serce i ciąży jak diabli, spowalnia kroki, spłyca oddech, odbiera apetyt, wszystkie wnętrzności, zamiast pełnić swoje pierwotne funkcje, pulsują, krew tęskni, zamiast tętnić; do diabła z takim sercem, które zamiast bić, wybija rytm niepowetowanej straty. Coś w nim się nieodwołalnie przesunęło, powstała jakaś fatalna nieścisłość tektoniczna, pęknięcie, po którym Adam przestał pasować do siebie samego.

Wychodzi z siebie, żeby nie wyjść na poszukiwanie Pięknisia, ale każda nieudana próba odwrócenia uwagi wyprowadza go z równowagi. Jak to przetrwać. Jak to przerwać. Adam nie ma sił na porządki, przywraca sobie tylko pozór ładu, w sam raz tyle, żeby móc wyjść z domu (na spotkanie Pięknisia), żeby móc znowu być (ku Pięknisiowi) wśród żywych.

Piękniś się kręci zapamiętale, ziomale łypią na niego z podziwem, w takiej formie go dawno nie widzieli, bejsbolówki z głów, to coś nowego, niezły układ, i ten podkład latino, czy to ma jakąś nazwę?

– Yerva Cubana – odpowiada Piękniś i wraca do pionu, chętnie by komuś obił ryja, bo od tańca mu nie przechodzi zmuła, która go dopadła od czasu wyprowadzki. U doktorka jednak były przynajmniej jakieś warunki i spokój, u matki już na wejściu o puste butelki się potknął i wypierdolił jak długi, cud, że go nie pocięło, w kuchni syf, wszystko się klei, gdzieżby tam kto zmywał, nawet kieliszki już niepotrzebne, bo stara z gwinta ciągnie, ze zlewu jebie moczem, bo kibel na półpiętrze i jak się ekipa napierdoli, to dla nich za daleko, poza tym i tak już bywało, że jak się matka albo któryś z jej wiecznie naprutych absztyfikantów do sracza wybierali, to nie umieli trafić kluczami do zamka i lali na schody, sąsiedzi się poskarżyli w administracji, Piękniś jeszcze wtedy się wstawiał, zaręczał, mówił, co wy chcecie babę wyeksmitować, poczekajcie jeszcze, niedługo jej nerki wysiądą i w ogóle przestanie lać, a nawet oddychać, ale matka jest twarda sztuka, żywi się czyściochą najgorszego sortu, ale bryny ani brzozówki nie tknie, jest królową skurwiałej dzielnicy, najgorsza menelnia się do niej schodzi, żeby se cyce pomacać za flaszkę, drzwi zawsze otwarte, każdy może wejść, ukraść już nie ma czego, matka rozchełstana zachęca do udziału w najdłuższej imprezie świata, chleją rechoczą rzygają zasypiają, budzą się, coś przegryzą, do sklepu się wymkną (niechętnie, od picia mają światłowstręt) i apiać od nowa; czasem któryś wyjmie flaka i stara go męczy, naciąga, ale nic z tego, na tej melinie dokonuje się kurewstwo agonalne, alkoholicy w stanie zejściowym przygłaskują sobie nawzajem zużyte organy, bo wciąż jak przez mgłę pamiętają czasy sprzed marskości, w których popijawie towarzyszyły męsko-damskie harce, czasy, w których byli zdolni do przeżywania także innych niż pospieszne zabijanie kaca rodzajów przyjemności. Piękniś ma swój osobny pokoik sąsiadujący przez ścianę z mieszkaniem matki, co rano jakieś widma od niej wychodzą i stukają, żeby pożyczył parę złotych, Piękniś ich nienawidzi, dlatego nie pożycza, tylko daje zarobić: jak pójdziesz do sklepu na czworakach, dostaniesz piątkę, jak dasz się do tego zapiąć na smycz, dycha; znają te jego zwyczaje, czasem przychodzą po dwóch naraz, żeby od razu starczyło na pół litra, Piękniś prowadzi wtedy do sklepiku na rogu parkę ludzkich psów, ale te zabawy przestają go cieszyć, bo oni już dawno zapomnieli, co to upokorzenie, godność przepili wcześniej niż zdrowie, w dzień dorabiają sobie na różne pijackie sposoby, kiedy upatrzą kogoś nowego w barze, pytają, czy postawi im piwo, jeśli zjedzą jego kufel, albo, kiedy zęby są już tylko wspomnieniem, przechadzają się pod trasą kolejki krzesełkowej, ludziom zawsze coś wypada, czasem drobne z kieszeni, czasem cały portfel, ale to zarobek niepewny, sezonowy i czasochłonny, lepiej jednak wyciągnąć coś od chłopaka, Piękniś to dobry złodziej, niepijący, zawsze coś ma przy sobie, czasem tylko chce, żeby się trochę powygłupiać, zanim dorzuci do butelki. Pięknisiowi nie bardzo się chce wracać do tego syfu, u doktorka mógł się przynajmniej porządnie wykąpać, u matki w nocy karaluchy z rur wyłażą, a rano przebudzone niedopitki go zauważają i jęczą o parę groszy, Piękniś nie chce już tam wchodzić, smród pijackiego potu, tanich papierosów, alkoholi porozlewanych na linoleum zaczyna być wypierany przez smród śmierci, która chyba zamiast zabrać stąd któryś z tych ludzkich wraków, dała się wciągnąć do nieustającej libacji, lada chwila wyślą ją do sklepu po bełta, Piękniś nie wie, co miałby powiedzieć śmierci pukającej do jego drzwi, żeby pożyczyć pięć złotych; woli się tymczasem myć w swoim pokoiku, przy zlewie z kranem, z którego ciurka tylko zimna woda, znowu będzie musiał zgolić włosy na głowie, bo niemyte swędzą i w nocy drapanie, spać nie można; no, jest zmuła ciężka, niby doktorek tylko frajer ciota wsiok, ale dawał Pięknisiowi takie to, no, poczucie potrzebności, a teraz chujnia, w środku, wokół i w ogóle, i wytańczyć się tego nie da, Yerva Cubana; może jakaś juma z kompanami temu zaradzi.

(Adam widzi, że Piękniś skończył taniec i od niechcenia z kumplami się żegna, a więc trzeba pospiesznie się wycofać, schować; Adam tymczasem nie jest gotowy, żeby do Pięknisia przemówić, na razie tylko wyśledził go i podgląda z ukrycia, próbuje wypatrzeć swoją szansę.)

– Dziara godoł, że ni ma co sie rozdrabniać, jakby tak zajebać krzyż z Giewontu, toby było złomu... – kompan Pięknisia, ksywka Zwyrol (jak już zacznie, nie umie przestać bić, a łapę ma ciężką, Piękniś obstawia, że on pierwszy z całej paki dostanie dożywocie, artykuł sto czterdzieści osiem paragraf dwa punkt pierwszy, szczególne okrucieństwo przychodzi Zwyrolowi szczególnie łatwo, wystarczy, że kiedyś nie zdążą go od kogoś odciągnąć), nie został doceniony za brawurową kradzież szabli komendanta ze świeżo postawionego pomnika; Dziara, szef i półświatkowej sławy autorytet w dziedzinie tego, jak kraść, żeby się opłacało, wciąż gardzi branżą złomiarską, niby to żartem wspomniał o tym Giewoncie, ale w umyśle Zwyrola poczucie humoru się nie wykształciło, on nie zna pojęcia dowcipu, kilku funflom boleśnie o tym przypominają przestawione nosy i złamane żuchwy, nie ma rady, napalił się, już nawet sprawdził na mapie, gdzie leży Zakopane. Piękniś nie wie, w jaki sposób mu wytłumaczyć, że sprawa jest nierealna, lepiej pomyśleć, jak skutecznie kroić gości na peronach teraz, kiedy dworcowa psiarnia wymieniła kadrę i zaostrzyła kontrole, a wszystko przez to, że wojewoda zagrożony dymisją złapał się ostatniej brzytwy ratunku i zaczął dżulianić, akcja zero tolerancji czy coś tam, no więc zło- dziejstwo to teraz wymagający proceder, ale ucieczka do złomu nie przystoi, złom to mogą zbierać na emery- turze; Zwyrol, daj se siana z tym Giewontem.

Adam już dojrzał, jeszcze nie do rozmowy, ale do stanięcia oko w oko, do spojrzenia bezpośredniego, ba- dawczego, sprawdzającego, czy w Pięknisiu jeszcze tli się coś, co można by rozniecić, czy w nim już tylko po- piół; trzeba się przekonać, tym bardziej że Piękniś z ja- kimś grillowanym karczkiem nieokrzesańcem obleśnym tłustoszem łysym wstrętnawym się pokazuje od dłuż- szego czasu, Adam nie przypuszcza, żeby Piękniś miał dokonać nagłego i spektakularnego transferu uczuć, ale ma przeczucie, że ten łotrowsko postawny buhaj w dre- sie resztki chłopięctwa w Pięknisiu z rzeźnicką gracją ubije, że z Pięknisia ostanie się jeno mężczyzna grubo w chłopcu wyciosany i będzie sobie białe adidasy pa- stą do zębów doczyszczał, głowę ze skórą równo golił, sterydami się szprycował, aż mu fujarka definitywnie zmięknie, nie, do Pięknisia nie można dopuszczać takich osobników. Adam wychodzi im naprzeciwko, zauważo- ny przez Pięknisia nie ucieka wzrokiem, mijając, nawet go lekko potrąca, aż Zwyrol odzywa się zdumiony, że Piękniś nie zareagował na dyshonor potrącenia przez jakiegoś parcha:

– Stary, no co to było? Znasz gościa? Kto to jest?

– Nie wiem, jakaś łachudra. Co, mam go gonić? Ty się lepiej skup, Zwyrol, ty się za łatwo dajesz, że tak, kurwa, powiem, ponieść emocjom.

Adam jeszcze się za nimi ogląda, ale tylko ten okropny napakowany muł pancerny łypie na niego wrogo, Piękniś przyspiesza kroku, ale przez chwilę na Adama spojrzał, i spojrzał na niego chłopcem, a nawet mężczyzną, jak dawniej, Adam dałby sobie ręce uciąć, że nie było w jego spojrzeniu gniewu ani pogardy, tylko zdziwienie i strach, Adam już wszystko rozumie, to nie pora ani miejsce, ale na pewno się spotkają raz jeszcze, żeby porozmawiać, a co za tym idzie, posłuchać, wsłuchać się w siebie nawzajem; Piękniś istnieje, nie wszystko stracone, to jeszcze nie popiół, choć raczej dym niż płomień.

Zwyrol nie może odżałować, że Piękniś odebrał mu okazję do małej napierdalanki, przecież to była wyraźna prowokacja, można było frajera nauczyć, jak się chodzi po ulicach i komu w pierwszej kolejności należy ustępować, nauczyłby go, kurwa, kodeksu chodnikowego, praw pierwszeństwa przejścia, Piękniś coś się zrobił za łagodny ostatnimi czasy, może trzeba będzie zmienić kompanię.

Piękniś się boi; Adam znowu go dotknął, to się obudziło, to jest dokładnie w pół drogi od Adama do Pięknisia i tam się powiększa, najprzyjemniej wyczuwalne, kiedy są blisko siebie, Piękniś wie, że od tego nie ma ucieczki.

Piękniś nie chce być dłużej drobnym rabusiem, ma dość bycia płotką, pionkiem, jeżdżenia tramwajami na gapę, skoro bardziej obrotni koledzy wożą tłuste dupy w orszakach porszaków, ma dość wiecznego lawirowania między psami, skoro zaradnym kumplom straż miejska się kłania, dosyć mieszkania przez ścianę z matką, której się, kurwa, wstydzi, skoro niektóre chłopaki już mają domki z basenem; dosyć, czas na jakiś numer, który pozwoli mu się wybić na niepodległość (no, chyba że znów go wbije pod celę, ale tej myśli Piękniś woli do siebie nie dopuszczać). Tymczasem dochody dramatycznie spadły, bo wszystkie ekspresy obstawiają czujni tajniacy, nowa metoda, nie wiadomo, gdzie się pies kryje, można go przez pomyłkę wziąć za frajera i włożyć rękę do niewłaściwej kieszeni, wtedy zamiast kasy kajdanki i na mendownię, a sukinsyny się nie cackają, jak kogo złapią, ręce zapinają z tyłu i tak ciasno, że chłopaki potem mają paraliż, szklanki nie mogą utrzymać, do tego prowokacje przysrywania, że niby u Arabów ręce złodziejom ucinają, więc nie ma co narzekać; no nic, intercity trzeba se na jakiś czas odpuścić, pokombinować w osobowych na przywieszkę, ale też ostrożnie, bo ochrona porozklejała plakaty ostrzegawcze, ludzie się naczytali i spanikowani chodzą, każdy łapę na portfelu trzyma, węże ma w kieszeni; wygląda na to, że nadchodzi koniec dworcowej roboty, łza się w oku kręci, tyle czasu taki łatwy pieniądz, dla wszystkich starczyło, a ilu koleżków się poznało, teraz ferajna się rozproszy po przystankach, marketach, stadionach, każdy będzie kroił coś dla siebie; Dziara też jest zły, bo mu rewir pada, ale on jest kuty na cztery łapy, ma ekipę ściągającą z knajp w centrum haracz za opiekę i otworzył przytulny burdelik pod miastem, na razie same Ukrainki, ale zrobione na Tajki, po pijaku i w półmroku wszyscy się dają nabierać, a jak już pójdą z dziewczyną na pokój, nie ma odwrotu, sto pięćdziesiąt za godzinę płatne z góry za wjazd, tak że Dziara to se dworzec nadzorował tylko przez sentyment i w imię zasad, żeby mieć kilka różnych źródeł utrzymania, co racja, to racja, takie czasy, trzeba być wszechstronnym. Piękniś zgłosił się na ochotnika, żeby gdyby jakby co, to Dziara mógłby o nim pamiętać, a tymczasem szykuje się zupełnie osobny numer: Zwyrol, psychofan Zielonych, wierny i poważany bywalec młyna, jeden z najzadziorniejszych hulsów, robiący sobie sznytę po każdej zwycięskiej ustawce, przekonał naczalstwo swojej bojówki, że nie może tak być, żeby Czerwoni, ich odwieczny rywal zza miedzy, mieli bogatego sponsora, a właśnie na najbliższy mecz derbowy przyjechać ma kilku biznesmeneli zainteresowanych inwestycją w klub; Zwyrol wziął na siebie organizację takiej zadymy, żeby wszyscy sponsorzy ze strachu zrobili pod siebie i na zawsze wybili sobie z głowy futbolowe inwestycje, Czerwonym trzeba załatwić zamknięcie stadionu i odstraszenie biznesmeneli, nie można dopuścić do tego, żeby Zielone barwy wspaniałe po drugiej lidze się tułały, a Czerwońce jebane będą sobie budować ekipę na puchary, co to to nie; oto więc Zwyrol szuka gości do rozróby, plan jest taki: przed meczem amfa za darmo dla każdego na rozgrzewkę, pod koniec pierwszej połowy zbiórka w dole sektora, niby żeby flagę wywiesić, podpalamy na płocie szale Czerwonej kurwiarni, wciągamy kominiary i wbiegamy na murawę, w stronę młynu wroga, jak psiarnia wejdzie do akcji, napierdalamy ich i czekamy na wsparcie, na hasło „zostaw kibica" druga część bojówy uderza w kordon od strony trybuny krytej, ważne, żeby się przedrzeć jak najbliżej, żeby wszystkie vipy miały mokre cipy, po drodze totalna demolka, wyrywanie krzesełek, wywracanie toitojów, a, i ważne, żeby ekipa na boisku, zanim się wycofa, podpaliła murawę, rozpierducha musi być bardzo widowiskowa, tak żeby Czerwońce musiały zbierać na remont stadionu, a nie na, kurwa, pucharowy skład. Piękniś nie pyta, co z tego będzie miał, przecież to jasne: rzecz się rozgrywa dla idei, po pierwsze chawudepe, po drugie jebać pezetpeen, po trzecie Czerwo to stara kurwa, po czwarte moja jedyna miłość to Zieloni, a poza tym, gdyby co, dla niego ryzyko jest niewielkie, pod celą przyjemniej niż na melinie u matki i posiłki regularne za darmo, i tak nie mogą ich zamknąć na dłużej niż czterdzieści osiem, a tylko wyjątkowi frajerzy dają się złapać, monitoring też mu niestraszny, nawet jeśli Piękniś dostanie dożywotni zakaz stadionowy, jest tylko najemnikiem na gościnnych występach, na mecze nie chadza, to go nie rajcuje, Zwyrol to co innego, załamałby się, powiesił na szaliku; w razie czego zrobi się bojkot ligi, zero dopingu przez całą rundę, tylko sektorówa z napisem „Zieloni to my, a nie wy", zarząd tego nie wytrzyma, zmięknie, odwoła zakazy, jak można karać swoich najwierniejszych fanów, chcecie mieć puste trybuny czy co? Zwyrol jest wyjątkowo czujny, bo dostał przeciek, że w młynie Zielonych są konfidenci, a nawet psy w przebraniu, trzeba do tej akcji dobrać najbardziej zaufanych ludzi, co do Pięknisia nie ma wątpliwości, dlatego na niego liczy. Spoko spoko, mówi Piękniś bez przekonania, zgadza się na udział w zadymie dla świętego spokoju, co miałby lepszego do roboty, tym bardziej że nie wie, jak się zachować wobec faktu, że Adam wciąż krąży chodzi śledzi, jego ścieżkami podąża, jego ślady obwąchuje, okruchy po nim zbiera, pojawia się tu i tam, niby to przypadkiem, żeby mu w oczy spojrzeć, stara się być dyskretny, żeby nie narażać na niepotrzebne komplikacje chłopca w mężczyźnie schowanego; Adam jest jak Pan Cień, mógłby tak chodzić za Pięknisiem do końca świata, tropami jego peryferyjnych perypetii.

Na mecz też gotów za nim pojechać; trzeba z tym coś zrobić, nie można dłużej udawać, że się niczego nie zauważa, lada moment Zwyrol wywęszy, że Piękniś ciągnie za sobą ogon, trzeba Adama ostrzec, wytłumaczyć, przepędzić go jakoś. (Ale jak? T o wciąż się powiększa.)

Najbezpieczniej przez telefon, wieczorem, przerywając milczenie, ale zachowując twarz, a raczej jedyną w tym układzie dopuszczalną pozycję (tego, który decyduje; tego, któremu właściwie nie zależy; tego, który ma przewagę, bo lepiej udaje, że nic nie czuje), odgórnie zarządzić przez telefon nowe zasady, a raczej jedną zasadę naczelną:

– Przestań za mną łazić.

Adam nawet nie jest zaskoczony; rodzice przestali się odzywać od czasu ostatnich odwiedzin, ze szpitala też już nie dzwonią, bo wyprosił sobie krótki urlop, o tej porze telefon powinien milczeć, o tej porze Adam zwykle śni dzwonek telefonu i budzi się po kilkanaście razy, chcąc go odebrać, gdyby spał głębiej, być może zdołałby wyśnić rozmowę z Pięknisiem, ale nic z tego, sen mu się zapętlił, nigdy nie zdąży przed przebudzeniem podnieść słuchawki, choć we śnie wie, że musi być szybki, we śnie wie o śnie, śni siebie świadomego, że jest śniony, i może właśnie dlatego zawsze budzi się przed czasem; dziś jednak telefon zadzwonił naprawdę, Adam rzucił się do słuchawki i zdołał usłyszeć głos Pięknisia, a nawet natychmiast kategorycznie mu odpowiedzieć:

– Nie przestanę.

– Facet, nawet nie wiesz, w co się wpier... pakujesz. Oni cię zaje... zrobią ci krzywdę, człowieku.

Jakaż piękna walka chłopca z mężczyzną dokonuje się w Pięknisiu, Adam jest zachwycony tymi zdławionymi przekleństwami, tymi powstrzymanymi grubiaństwami, oto Dawidek Goliatowi język odebrał, szala zwycięstwa się przechyliła, Pięknis sam siebie zdradził w pół słowa, Adam teraz już wie, że cokolwiek będzie musiał jeszcze znieść, doczeka, aż chłopiec się w Pięknisiu przez mężczyznę przegryzie i wróci do niego, już odcedzony z chama, już jako ekstrakt chłopaka, któremu drogę należy wyprostować i opiekę nad nim czułą jak najczulszą sprawować.

– Nie bój się do mnie wrócić. Wszystko się ułoży. Sami sobie ułożymy.

Pięknis już nic nie umie odpowiedzieć, chciałby wrzasnąć okrutnie i odstręczająco, lecz skłonny jest raczej stręczyć sam siebie Adamowi, otwiera usta, żeby zaprotestować w barbarzyńskim dialekcie, ale słowa pękają mu w ustach jak bańki mydlane, Piękniś nie znajduje w sobie sił, by się sprzeciwić, t o już go całego ukrwiło, chce do Adama, teraz, zaraz, lepiej więc odwiesić słuchawkę. Czy to dobre chęci, czy złe, Pięknisiu, wiodą cię na pokuszenie, lepiej daj się uwieść, niżbyś miał dać się uwieźć na stadionowe manowce, idźże do niego, tam gdzie cię czeka przytulność pościelna, tam gdzie się wyśpisz błogo, dobrym słowem nakarmiony, dokąd idziesz, Pięknisiu, nie tędy droga, zimno, zawróć, o, tędy cieplej, ciepło, jeszcze tylko zakręt, ulicą do końca prosto i już będzie gorąco.

Będzie gorąco; Adam otworzył, bo myślał, że to Piękniś puka do niego, że wreszcie chłopiec nadszedł, męską wylinkę porzuciwszy już gdzieś na zawsze, no któżby inny o tej porze i po takiej rozmowie nadejść mógł, jeśli nie Piękniś we własnej osobie, no któż to – taki niepiękny i obcy, jeden zza drugiego się wyłaniający, i ten trzeci, o gębie niesławnej i zakazanej skądinąd znanej, kim jest ten okrutnik o głowie łysej i gładkiej jak gnat – cóż oni, po cóż, czegóż chcą? O chwilę za długo się Adam głowi, nie zdążył przed nimi drzwi zamknąć zaryglować, czoło gładkie i ciężkie jak maczuga gruchocze mu nos na powitanie, i może to lepiej nawet, bo ten pierwszy ból skupia na sobie całą uwagę, Adam nie czuje już kopniaków, które mu wymierza Zwyrol, a robi to boleśnie dla kruchych żeber, Adam nawet nie jęczy, jeszcze nie wie, co się stało, a już ma tyle złamań, od kopniaka w splot słoneczny przed oczyma mu ciemnieje...

(jakże delikatnej struktury jest człowiek, jakież wątłe są członki jego, a przy tym tak wzruszająco cierpliwe, kiedy się zrastają)

...przytomność wraca, kiedy Zwyrol go podnosi, stawia przed sobą i obija mu otwartą dłonią twarz, żeby się upewnić, że będzie wyraźnie słyszany:

– No i co teraz?

Tak, to jest akuratne pytanie, Adam sam chciałby wiedzieć, czy jeszcze mu coś połamią, czy proces wylizywania się z ran można uznać za rozpoczęty.

– Czemu węszysz? Komu donosisz?

Adam nawet nie próbuje się bronić, prosić o litość, patrzy na Zwyrola zupełnie bez lęku, cóż jeszcze mogą mu zrobić, poszerzyć promocyjny zestaw urazów o kilka dodatkowych, pociąć go tu i tam, przecież rany to larwy blizn, im więcej ich będzie na jego ciele, tym bardziej się do Pięknisia upodobni, no dalej, uderz jeszcze, proszę bardzo, policzków mi już brakuje do nadstawiania, myśli Adam, a Zwyrol czuje, że rozlewa się w nim ten rodzaj wściekłości, któremu swój przydomek zawdzięcza, zwąchał cudzy ból i już teraz nie widzi ani nie czuje niczego poza tym, uderza Adama raz po raz, coraz silniej, rozjuszony brakiem oporu łomocze go jak worek treningowy i domaga się walki:

– No broń się, cioto! Walcz, konfidencie! Broń się, kurwa, broń się, broń się!!!

Cierpienie się mnoży. Piękniś też cierpi; już był w ogródku, ale z gąską nie zdążył się przywitać, bo szybsze od niego lisy ją dopadły, zawrócił na półpiętrze, teraz czeka w bramie, modląc się o to, żeby chłopaki odciągnęły Zwyrola na czas; nie może interweniować, boby się zdemaskował, niby co tu robi o tej porze, namierzał donosiciela na własną rękę czy może jednak ze sobą współpracują; Piękniś czeka w bramie i pierwszy raz w życiu płacze z bezsilności, to nie jest film ze Stiwenem Sigalem, nie pospieszy z pomocą i nie rozwali intruzów ciosami karate, nie dostanie medalu za ofiarność i odwagę, może tylko czekać wyczekiwać nasłuchiwać, aż wszystko ucichnie, dopiero kiedy Zwyrol z asystą się ulotnią, Piękniś pobiegnie na górę; żeby tylko nie było za późno.

Zbiegli po schodach szybko i cicho, żaden się nawet nie zaśmiał, to nie jest dobry znak; Piękniś odczekuje chwilę i wygląda za nimi na ulicę, już zniknęli, należy założyć, że nie wrócą; rusza na górę. Drzwi uchylone. Jest krew. Adam siedzi na podłodze, tam gdzie go zostawili. Lepiej odwrócić wzrok.

Żyje, choć już do końca życia jego twarz będzie przypominała o tym wieczorze. Być może nawet się uśmiecha; zaraz będzie to lepiej widać, Piękniś zmoczył ręcznik i jak renowator odsłaniający polichromię zmywa z Adama krew; tak, teraz widać lepiej, Adam naprawdę się uśmiecha. Kto wie, czy nie będzie miał teraz bardziej łotrowskiej gęby od Pięknisia: nos jest zdeformowany, to pewne, co do reszty, okaże się, kiedy opuchlizna zejdzie, ale sądząc po innych twarzach naznaczonych przez Zwyrola, zmiany będą zasadnicze; Zwyrol ma swój styl, jest jak artysta wśród psychopatów, bijąc, rzeźbi w ludzkich twarzach, gdyby jego ofiary ustawić obok siebie, oko konesera łatwo rozpoznałoby wspólne cechy charakterystyczne (lecz czyją twarz pragnie w innych wyłupać? kto odważy się zadać mu to pytanie? na razie nie widać chętnych). To jest prawdziwie filmowa scena, Piękniś przemywa okaleczoną twarz Adama, nigdy w życiu nie był tak delikatny; Piękniś wie też z filmów, że przemywanie ran bohatera zwykle poprzedza scenę pocałunku i jego łóżkowych kontynuacji, dobrze byłoby więc zastosować się do tej reguły, tym bardziej że Pięknisiowy rozum nie znajduje na tę chwilę lepszego środka odurzająco-uśmierzającego, ale jak go tu pocałować w tę juchę z nosa i z wargi, ale niech tam, krwawy to będzie pocałunek, przeto męski, braterstwo krwi w ten sposób przyjmą, jak facet z facetem, nie ciota z ciotą (co to to nie, jak nam wiadomo); Piękniś całuje Adama głęboko, zlizuje mu krew z języka, połyka ją jak swoją.

Urlop mu się przedłuży, teraz już płatny; a ile się musiał nagadać w szpitalu, żeby go do domu puścili: oni, że ciężkie pobicie, on, gdzie tam, już go nie boli, oni, stary, jeszcze nie czujesz, bo jesteś w szoku, on, że jest lekarzem i potrafi się sobą zająć, oni – do Pięknisia – to niech kolega odprowadzi chociaż Adama do domu, a najlepiej gdyby z nim został, jeśli może, on, rumieniąc się pod tymi wszystkimi plastrami, że tak właśnie zrobią. No dobrze, jest już po wszystkim, leżą obaj przytuleni, Adam jest cały w opatrunkach. Obolały ze szczęścia, przysłuchuje się mowie chłopca ocalonego: to wzruszające, jak Piękniś próbuje ładnie mówić, nigdy wcześniej tego nie robił, wszystko się w nim zmienia, nieco od tego ogłupiał; mówi z twardym, surowym akcentem, poprawna wymowa jeszcze się w nim nie zadomowiła, jeszcze pobrzmiewa w jego ustach nienaturalnie, jeszcze się musi gdzieniegdzie przedzierać przez stare przyzwyczajenia, ale to piękne, to teraz najpiękniejsze w Pięknisiu: że cham z chamów mężczyzną zasłonięty w nim się poddał, że chłopiec zwyciężył i nie ogarniając jeszcze do końca tego zjawiska umysłem, instynktownie już próbuje posługiwać się językiem nieuzbrojonym, miękkim, używać właściwych form (Adam mu pomaga).

– Mówiłem, że ci spuszczą wp... że się doigrasz, jak będziesz za mną łaził (chodził)... Dobrze chociaż, że przyszłem (przyszedłem) po nich, kur...czę, no gdyby zaczli (zaczęli) coś podejrzewać, że ja z tobą... że my... Człowieku, jak se (sobie) o tym pomyślę...

Już wystarczy; Adam zamyka mu usta ręką. Nie trzeba mówić; trzeba pomyśleć, gdzie będzie można żyć.

11

Robert długo twierdził, że wszyscy czekają na jego nieudaną powieść, dlatego zwlekał z jej rozpoczęciem; można by to uznać za szczególny przypadek grafomanii: cierpiał na obsesję niepisania. Przez długi czas żył w miarę dostatnio ze swojej ostatniej, najsłynniejszej powieści, uznanej powszechnie za wybitnie udaną; w tym czasie uwierzył w to, że musi sobie zrobić dłuższą przerwę, nabrać sił i dystansu; sukces powieści nadał mu rozpędu, Robert nie potrzebował już pisania dla dobrego samopoczucia, tym bardziej że właśnie wtedy poznał Żonę i rozpoczął życie rodzinne, w otoczeniu życzliwych ludzi i w bliskości atrakcyjnej kobiety osobistej zupełnie przestał się przejmować tym, że nie pisze, można by rzec: konsumował sukces, który zresztą był niepodważalny, przychylni krytycy nie szczędzili zachwytów, krytyczni krytycy stwierdzali, że powieść po prostu idealnie trafiła w swój czas, tak czy owak nie sposób było odmówić jego ostatniej książce trafności. Z czasem zaczął się uskarżać, że wszyscy czekają na jego nieudaną powieść, tak początkowo tłumaczył Żonie i Teściom to, że właściwie wcale nie pisze, owszem, podpisywał książki, popisywał się błyskotliwymi komentarzami dotyczącymi życia literackiego i pozaliterackiego, ale pisania swojej nowej, tym razem nieudanej, koniecznie nieudanej, jak mówił, powieści konsekwentnie odmawiał. Pytany przez Żonę, dlaczego „koniecznie nieudanej", jak mógł sobie ubzdurać podobną niedorzeczność, stwierdzał, że to dlatego, iż jego ostatnia powieść została przeceniona, całe nieszczęście polegało na jej powszechnym przecenieniu, wszyscy ci, którzy się nią bezwstydnie zachwycali, teraz mieli się czuć w obowiązku niedocenienia jego nowej powieści, mieli czekać na jego nieudaną powieść, bo aby mógł w przyszłości stać się pisarzem cenionym, musi dać w ofierze powieść złą, mówił, musi przyjąć powszechną krytykę, przełknąć smak klęski, musi pozwolić tym wszystkim, którzy poniewczasie zaczęli się wstydzić swoich hałaśliwych pochwał, by teraz mogli go publicznie wybatożyć za jego nową nieudaną powieść, za literackie nieporozumienie, jakim musi być ta powieść, mówił, nie do przyjęcia byłaby bowiem powieść udana, choćby z tego względu, że jego ostatnia, niezwykle udana powieść traktowała o cierpieniu, wskutek czego przez przychylnych krytyków została uznana za powieść przejmującą, a przez krytyków krytycznych uznana za cynicznie żerującą na ludzkich emocjach, choć nie sposób było jej odmówić sugestywności w opisie cierpień głównego bohatera; Robert nie pisał więc swojej drugiej powieści, bo musiałaby również traktować o cierpieniu. Problem polegał na tym, że on nie potrafił szczerze pisać o czymkolwiek innym niż cierpienie, nie chciał zaś w żadnym razie pisać powieści o niemożności napisania powieści o czymkolwiek innym niż cierpienie; jego nowa powieść, gdyby ją wreszcie zaczął pisać, musiałaby więc podobnie jak poprzednia traktować o cierpieniu, jej bohater podobnie jak bohater poprzedniej powieści musiałby zajmować się przede wszystkim cierpieniem, prawdopodobnie cierpiałby w taki sam sposób jak bohater poprzedniej powieści, wobec czego krytycy przychylni pierwszej powieści musieliby uznać tę drugą za próbę wykorzystania sprawdzonej receptury na powieść przejmującą, krytyczni krytycy zaś musieliby uznać tę książkę za efekt twórczego uwiądu i autoplagiat; dlatego długo odmawiał napisania swojej nowej powieści, a kiedy Teść załatwił mu posadkę w suterenie sądu, żeby mógł się wyciszyć z dala od domu i mimo wszystko spróbować coś napisać, zaczęły się nogi za oknem i to wszystko, co mu, jak powiadał, zmęczyło słowa. Tłumaczył, że nie może napisać kolejnej książki o cierpieniu, nie ma na to najmniejszej ochoty, ale nie potrafi szczerze pisać o czymkolwiek innym niż cierpienie, mógłby więc co najwyżej napisać nieszczerą powieść, co mijało się z celem (jego celem była literacka szczerość), mógłby zatem napisać szczerą powieść o niemożności napisania powieści o czymkolwiek innym niż cierpienie, ale na to już zupełnie nie miał ochoty, to byłaby dopiero spektakularna wywrotka, mówił, tabuny krytynów miałyby pożywkę, mówił, pisanie o niemożności pisania to literackie samobójstwo, mówił i konsekwentnie nie rozpoczynał pracy nad nową książką. Kiedy Żona zastawała go przy pracy w gabinecie, jeszcze zanim definitywnie stał się, jak to złośliwie nazywała, izbą pamięci, jeszcze kiedy służył Robertowi jako pisarska pracownia, kiedy więc przyłapywała go na pisaniu, mówił, że to nieważne, bez wiary pisane, poza tym i tak za mało, żeby ułożyć z tego kiedyś nieszczerą powieść o cieple i radości życia, spełniającą oczekiwania wydawców, jak również mecenasów, redaktorów naczelnych, ministrów, wszystkich tych nadzorców od kultury, jak ich nazywał, którzy niczego nie rozumieją, ale mają władzę dysponowania pieniędzmi na kulturę, mają możliwość zamawiania dzieł sztuki, od których wymagają tylko tyle, żeby mogły ich pieniądze pomnożyć. Mówił, że i tak nic nie będzie z tych bezwiarów, dokumentujących bezmiar nieszczerości, na jaki musiał się zdobyć, pisząc powieść o czymkolwiek innym niż cierpienie, nie wierzył, że może powstać z nich kiedyś powieść zaspokajająca tych wszystkich kulturalnych nadzorców, nieustannie powtarzających mu, że „może teraz napisałby coś ciepłego, pozytywnego", bo „kraj jest już wystarczająco zmęczony tym wszystkim wokół", a zatem „oczekujemy, że choć artyści przeniosą nas w jakiś inny świat", a mianowicie „w świat ciepły i pozytywny"; nie wierzył, ale przynajmniej raz dziennie zasiadał przy biurku i próbował myśleć o świecie ciepło i pozytywnie, nie potrafił jednak, nie umiał, cierpiał z powodu tej nieumiejętności, rezygnował z pisania i przywoływał Żonę, jeszcze wtedy ochoczo wczuwającą się w rolę atrakcyjnej kobiety osobistej, jeszcze wtedy łasej na doczesne przyjemności, przywoływał ją, a potem wszystko już przebiegało według podobnego schematu: Żona pytała, czy wreszcie udało mu się cokolwiek napisać, Robert odpowiadał, że wciąż nie dość pojaśniały mroki jego duszy, Żona pytała, czy może mu jakoś pomoc, Robert odpowiadał, że i owszem, może wspólnie z nim dokonać wielkiej afirmacji świata, która zapewne zainspiruje go do twórczego spędzenia reszty dnia, mówiąc to, próbował ją za wszelką cenę zwabić w okolice biurka, a kiedy Żona zaczynała się wycofywać, pytając, czy aby pan pisarz nie traktuje jej nazbyt przedmiotowo, odcinał jej drogę do drzwi, przekręcał klucz w zamku i chował go do kieszeni spodni, Żona zaczynała nerwowo chichotać, mówiła, że powinien przysiąść fałdu i zacząć wreszcie pracować, Robert odpowiadał, że nie może znaleźć natchnienia, przesuwał komputer na krawędź blatu, żeby zrobić miejsce i nalegał, żeby Żona położyła się na biurku, Żona zdawała się bezbronna i ulegała jego zabiegom, jak również własnym namiętnościom, zastrzegając tylko: „Żebyś mi się nie ważył kiedykolwiek opisać tego, jak mnie posuwasz na biurku", po czym, już po rozpoczęciu wspólnej, rytmicznej afirmacji, raz na jakiś czas dodawała osłabionym głosem: „Ty mój pisarzu..."

Robert jest z siebie zadowolony, udało mu się doczekać stosownej chwili; dopiero teraz nadszedł czas powieści. Żeby nie wiadomo jak zła była, śmierć skutecznie zadba o jej promocję; jako autor nieżyjący będzie miał też z całą pewnością lepsze notowania u krytyków; i co najważniejsze: sam nada sobie ostateczny kontekst.

Robert śmiertelnie poważnie myśli o tym, żeby zacząć pisać; tymczasem jednak musi się ulotnić.

Wszystko zmalało. Jako dziecko przyjeżdżał tu każdego roku na kolonie i zimowiska; teraz, po ćwierć wieku przerwy, ma to dziwne uczucie, którego powinien był się spodziewać: płoty, barierki, ograniczenia chodników, skwerów, wreszcie sam murek przy bulwarze nad rzeką – wszystko zmalało, skurczyło się; pamięć Roberta zatrzymała się na poziomie wzrostu dziesięciolatka, teraz musi się zmierzyć z pomniejszeniem wszystkiego o czterdzieści centymetrów. Może to nie on urósł, tylko świat zmalał; może to nie on niknie, choć go uwiera umieranie przepowiedziane, tylko świat wokół niego więdnie; może nie tego się boi, że go zabraknie, lecz że mu zabraknie świata, że świat się skurczy poza zasięg zmysłów, i Robert zostanie sam, bez dekoracji, bez publiczności, z duszą tyleż nieśmiertelną, co bezużyteczną na pustkowiu wieczności. Prosto z porannego autobusu, jeszcze przed pełnią upału, jeszcze przed pełnią sezonu, w to chwilowe uśpienie, w tymczasową opieszałość opustoszałych ulic idzie ku dolnej stacji wyciągu, wchodzi po schodkach, które kiedyś były schodami, i choć w przeszłości były dużo wyższe i bardziej strome, pamięta, że biegał po nich, szybszy od rozleniwionych nóg dorosłych, lżejszy na ciele i duszy, bo wtedy nie myślał o tym, że każdy jego krok policzony, że z każdym krokiem bliżej jest nie pana lodziarza, nie kiosku z nowym *Żbikiem*, ale tego, co wedle vademecdów medycyny ogólnej miało dla niego w najbliższej przyszłości oznaczać nieuświęcone męczeństwo, bez fanfar anielskich, bez kronik hagiografów, bez docelowego wniebowstąpienia. Siada na krzesełku kolejki jako jeden z pierwszych w tym dniu pasażerów, obsługa przestrzega go, że na górze jest jeszcze bardzo zimno, radzą dodatkowo coś na siebie włożyć; jedzie, zbocza są wyludnione, niebo czyste, dopiero za parę godzin zaroi się od paralotniarzy, jeśli wiatr będzie im sprzyjał, a nie zapowiada się, żeby miało być inaczej; na razie nie wieje, wysokie świerki stoją nieruchomo, Robert czuje, że twarz owiewa mu tylko chłodne powietrze z niespiesznego pędu kolejki linowej; takie rześkie to przedwietrze. Przypomina sobie jedną z nieświeżych maksym Teściowej, strofującej Teścia za skłonność do drogich garniturów: „Kto żyje rozrzutnie, tego i po śmierci na cztery wiatry rozrzuci", czy coś takiego, w każdym razie musiało chodzić o rodzaj przestrogi, że zwłoki rozrzutnika psy po bezdrożach roztarmoszą (a może lepiej „psowie", od pewnego czasu w dyskursie mediów katolickich, który zawładnął bez reszty umysłem Teściowej, zapanowała moda na biblijne archaizmy, „psowie rozwloką twe kości niepochowane", tak musiałaby brzmieć najnowsza wersja klątwy na tych, co się z groszem nie liczą), jak dobrze, że niedługo nie będzie już musiał tego słuchać; i w ogóle niczego poza wiatrem, zaraz, kto śpiewał, że *wiatr przychodzi, żeby nas stąd wymieść, żeby zatrzeć ślady naszych stóp, i zasypuje ślady, które były, gdzieżeśmy chodzili, bo inaczej byłoby tak, jak gdybyśmy dalej wciąż jeszcze żyli...* To chyba jednak pretensjonalne, myśli Robert; jak więc myśleć o śmierci bezpretensjonalnie, jak bezpretensjonalnie umrzeć, co zrobić, żeby odwalić kitę ot, tak sobie, bez nadętych uwzniośleń, a jednocześnie nie dać się pogrzebać, nie pozwolić tej bandzie katoli dysponować jego truchłem, och, jakąż mieliby uciechę, wkładając mu w splecione dłonie gromnicę, a wcześniej przywołując klechę z ostatnim sakramentem, lepszy już będzie wiatr, nawet jeśli ktoś mógłby pomyśleć, że to napuszone, kiczowate, zwyczajnie niedobre, nawet jeśliby kto pomyślał, że takiemu, bądź co bądź, twórczemu umysłowi nie przystoi tak banalna puenta, niech sobie tam grymaszą, bełkoczą trzy po trzy, w końcu to jego śmierć, tego jeszcze brakowało, żeby mu ktoś doradzał, jak wypada się przenieść na tamten świat. Nawet jeśli tamtego świata nie ma, jest wiatr; Robert wierzy w wianie, chce, by mu je śmierć dała w wianie, wieczne odpoczywanie i światłość wiekuistą może sobie darować, a skoro duch wieje, kędy chce, Robert chciałby stąd zwiać jak najszybciej.

Właśnie nadeszło Kiedyś i nic się nie zgadza: gdzie jest chatka drewniana pod Dzianiszem (obiecywał sobie przecież, że kiedyś ją kupi), gdzie są piersi góralki (zarzekał się, że kiedyś znajdzie sobie czerstwe dziewczę o licu promiennym, żeby je wielbić i zapładniać po bożemu), gdzie jest graniówka Tatr Wysokich (kiedyś miał ją wreszcie zrobić w całości). Czemu życie mu zeszło na nizinach, skoro tylko w górach czuł się ze sobą dobrze?

Lament: lada moment będzie w rozsypce, musi dotrzymać danej sobie obietnicy.

Wielu spośród jego dawnych partnerów z drugiego końca liny porzuciło wspinaczkę dla tak zwanego glajciarstwa; ci, którym zawsze było za mało powietrza, którym kontakt ze skałą nie sprawiał takiej przyjemności jak długi, wolny zjazd do podstawy ściany po skończonej akcji, teraz po prostu fruwali nad górami na paralotniach, rozkręcając podniebny biznesik dzięki lotom komercyjnym, płatnym zastrzykom adrenaliny dla turystów niedzielnych, lecz dzielnych i żądnych wrażeń, a także dzięki małpim gajom zakładanym na drzewach dla firmowego narybku podczas imprez integracyjnych (mniej przy tym wszystkim roboty niż w sezonie z ceprami chcącymi dać się zanieść na Mnicha). Z taterników stali się więc nadtaternikami, górom się przyglądają z lotu ptaka; swoboda częstych lotów wyzwoliła ich z ziemskich lęków, to właśnie paralotniarze, wolący się nazywać glajciarzami (bo jakiż to para-lot, skoro właśnie oni latają najczyściej, bez silnika, bez sztywnych skrzydeł, ptasimi sposobami wyszukując najkorzystniejszą termikę, z wiatrem spoufaleni jak nikt inny), właśnie oni wydawali się Robertowi jedynymi ludźmi, którzy nie nadużywają pojęcia wolności. Stąpali po ziemi lekko, tak jakby tylko czekali, żeby się odbić i znów polecieć; nałogowcy, świadomi, że jeśli się raz uda oderwać od ziemi i bezpiecznie wylądować, nie ma odwrotu, już nic innego w życiu nie da im takiej satysfakcji; glajciarstwo jest jak heroina, powiadali, to lepsze niż seks, mawiali, a przy tym, co dla Roberta najważniejsze, we wszystkim byli bezpretensjonalni: nawet kiedy mówili, że tam, w górze, są jak ptaki zniewolone wiatrem, mieli cholerną, literalną rację. Dlatego na jednego z nich padł wybór: Robert musi się z kimś podzielić ciężarem i potrzebuje gwarancji, że jego hiobowa tajemnica nie rozniesie się wśród bliskich i dalekich znajomych; byłoby to obustronnie kłopotliwe, Robert stałby się osobą unikaną, niby czemu ludzie mieliby chcieć patrzeć w oczy śmierci, oni są jeszcze po stronie dalekosiężnych biznesplanów, dylematów kredytowych, przyszłorocznych wakacji i troski o efekt cieplarniany, a on już ze śmiercią chodzi minutami, godzinami, dni jeszcze licząc, tygodnie nieśmiało zaliczając, choć ona już w nim odlicza każdą sekundę. Oni są jeszcze w środku karnawału życia; Robert jest już chodzącą środą popielcową.

Tylko glajciarzowi można uwierzyć i powierzyć prośbę poufną; glajciarz nigdy nie odmówi, jeśli tylko nie zechcesz go powstrzymać przed startem, glajciarzy interesuje wyłącznie szukanie kominów powietrznych, żagli nad górami, unikanie rotorów, żeby klapy nie było, słuchanie wariometru; dla glajciarzy życie składa się wyłącznie z przygotowań do przelotu. Oni tylko pozorują zainteresowanie sprawami ziemskimi, dlatego glajciarz spotkany po latach wyściska cię, powie, że wszelki duch Pana Boga chwali, że góra z górą się nie zejdzie, zapyta, co u ciebie, a potem, zanim zdążysz odpowiedzieć, dopyta, czy może chciałbyś się przelecieć na tandemie.

Robert właśnie w tej sprawie, przyjechał się umówić na przelot, bez ceregieli, nie dziś i nie nad tymi górami, w okolicznościach, których specyfikę musi wyjaśnić, ale to na spokojnie, najlepiej w schronisku przy herbacie z rumem. Nie, lepiej przed schroniskiem, glajciarz musi mieć oko na gałęzie, jak się zaczynają ruszać, znaczy: jest termika, będzie noszenie, czas startować, zrywają się jeden po drugim i pięknie ich ciągnie w górę.

– Stary, jak by to powiedzieć – odpowiada mu tamten – no jestem z tobą, a jak już przyjdzie pora, to wiesz, w ogóle nie ma sprawy, dla mnie to będzie zaszczyt, tymczasem trzymaj się, grabula, muszę lecieć, zajebista terma się zrobiła, patrz, jak ich niesie.

No i załatwione.

Zaschło mu w gardle; na języku odkłada się wszystko to, co odkładał na potem. Coraz bardziej boli i już raczej mu nie przejdzie żal za drogami, których już nie przejdzie. Kobiety nie jego życia mącą pamięć (inni szczęśliwiej wybrali): Robert zboczył ze szlaku, zaległ w trawie i mści się na sobie za niewykorzystane okazje, wykonując czynność płciową odludnie. Ćwierć wieku wstecz w tym samym miejscu równie rozpaczliwie trzepał kapucyna; wtedy posiłkował się wyobraźnią, teraz wspomnieniami. Niby nic w tym zdrożnego, ale samieństwo zawzięte na tej wysokości trochę wyczerpuje, Robert za chwilę będzie zbyt zdrożony, żeby zejść o własnych siłach na przystanek; wody też nie ma skąd zaczerpnąć, pokiełbasiły mu się kierunki, źródełka są po

199

drugiej stronie zbocza. Wykopyrtnie się na osuwisku, zaplącze w kolczaste chaszcze albo po prostu zasłabnie w lesie i nie przetrwa nocnego przymrozku; jeśli wyobrażał sobie śmierć w górach jako heroiczną, zdąży zmienić zdanie. Trzeba mu pomóc, gotowiśmy stracić do niego resztki szacunku. A gdyby tak w Różę go zaplątać? Toż nieopodal jej domek stoi, wysoko ponad doliną, w odosobnieniu, w głuchym uboczu, łowcy sensacji już nie dybią z ukrycia, bo współczynnik medialności ostatecznie opadł razem z płachtami reklamowymi, na których widniało jej oblicze; czemu nie połączyć tych dwóch samotności? Robert wiedziony instynktem i siłą woli dojdzie do tak zwanych pierwszych zabudowań, niechże to będzie płot znanej nam posesji; popatrzmy, czy coś z tego wyniknie.

– Mój Boże, co się panu stało?

Rozszczekany pies przywabił człowieka płci żeńskiej, Robert ma szczęście, ledwo zdołał przycisnąć dzwonek przy bramie i przysiadł u płotu, zesłabł, ból atakuje coraz częściej i na coraz dłużej, coraz trudniej go przeczekiwać. Jeszcze niedawno roił sobie, że być może przyzwyczai się do niego, narzucając sobie trening wytrzymałości, tak jak za życia po każdym cyklu ćwiczeń zwiększał, dajmy na to, liczbę pompek, tak teraz, za gnicia, każdego dnia będzie się starał zażywać lek przeciwbólowy nieco później, przynajmniej o kilka minut, konsekwentnie przestrzegając narzuconego sobie rygoru; jeszcze niedawno ból wydawał się do opanowania, ale teraz sprowadza go do parteru coraz łatwiej; rachunek jest prosty: ból rośnie w siłę, a Robert słabnie. Z trudem doszedł do pierwszych zabudowań, przycisnął dzwonek z nadzieją, że ktoś otworzy, i zwinął się w kłębek, żeby przetrwać atak; przygwożdżony boleścią nie ma na razie sił się podnieść, nie mówiąc o powitalnych uprzejmościach i wyjaśnieniach; czeka, aż mu przejdzie (fala zdaje się opadać, jeszcze chwila i będzie znośnie, ale tabletkę koniecznie trzeba zażyć, tyle że w gardle sucho, bez śliny nie przełknie, musi popić).

– Przepraszam... To zaraz minie. Gdybym tylko mógł panią prosić o szklankę wody.

Robert nie ma jeszcze sił, żeby podnieść głowę, widzi do pasa człowieka płci żeńskiej, widzi nieszczelną podomkę, która odsłania nogi kuszące i sławetne; Robert je rozpoznaje, po nich zaś poznaje kobietę, nierzadko zwiewnie chadzającą ścieżką obok jego piwniczki; nogi ongi wiele mówiące, wielu wymownych kroków używające do opowiadania historii najrozmaitszych, własnych i cudzych, nogi aktorki, które z każdą premierą szły inaczej, czasem tragicznie, czasem komediowo, niesione przymierzanymi rolami, czasem zaś uginające się pod ciężarem źle napisanego życia.

– Tak, oczywiście, zaraz panu przyniosę – słyszy znad nóg i widzi, że chyżo po pomoc się udają, dostojeństwa nie tracąc nawet na chwilę; Robert pamięta, że zawsze, niezmiennie, bez względu na to, jaką by opowieść przed jego okienkiem niosły, niezależnie od nastroju i warunków pogodowych, te nogi wyróżniał chód dostojny, cechujący kobietę szlachetną, znającą wartość swoją i nieprzywykłą do nieustannego szukania jej potwierdzeń; w dostojeństwie tego chodu było jakieś pogodzenie, jakieś niewymuszone bycie, jakaś niekonieczność istnienia, której Robert nie mógł się oprzeć, sam bowiem, spętany wyrzutami sumienia i węzłowiskiem niespełnionych powinności, człapał ociężale, melancholijnie, gubiąc rytm, jakby do własnych nóg nie był dobrze dopasowany.

Ból odpuszcza, Robert może się podnieść; wsparty o płot patrzy w stronę, z której nadchodzi; wyłania się, objawia w okazałej całości, w dostojnym pięknie Róża, co do której w innej sytuacji życiowej Robert powziąłby szereg nagłych, pierwszowejrzennych i radykalnych postanowień, bo zdaje mu się iluminowana taką wstrzemięźliwą rozwiązłością, niewinnym wyuzdaniem, dziewczęcą dojrzałością, mądrą naiwnością, kruchą twardością, szorstką delikatnością, otwartą skrytością, ekstrawertyczną nieśmiałością, przychylną niedostępnością, jakich nigdy jeszcze nie widział; jawi mu się jako kobieta emanująca obfitością paradoksów, ale wewnętrznie symetryczna, możliwa, lecz nieprawdopodobna; przyjmując od niej szklankę, Robert czuje, że dla takiej kobiety mógłby odebrać sobie życie (i natychmiast przywołuje się do porządku, wszak niewiele mu zostało do odebrania). Pije, patrząc na jej nogi; „takimi nogami można daleko zajść, niewiele chodząc", rozbrzmiewa w nim z żołdacką gracją myśl samcza i zawstydzająca, „chętnie się pani zwierzę, jakie we mnie śpi zwierzę", dodaje zapomniany baryton z okolic przysadki mózgowej; Robert zbyt pospiesznie wstał, we łbie mu się kręci, znowu musi usiąść, bo nie wie już, co mu się myśli, a co na głos wypowiada, Róża dopytuje, czy nie trzeba wezwać pogotowia, Robert kategorycznie zaprzecza, po czym błyskawicznie słabnie, osuwa się, Róża próbuje go podtrzymać, poły wdzianka rozchylają się tak szczęśliwie, że na mgnienie oka błyska pierś wolna i dostojna, och, niewiele już mu trzeba, żeby zemdleć z wrażenia, jeszcze raz przeprasza, na wpół idąc i będąc przez Różę dźwiganym, dopełza do fotela ogrodowego, by w nim do zażegnywania niepokoju się zabrać.

– Bardzo pani dziękuję, zaraz poczuję się lepiej... Po prostu zasłabłem, wie pani, wybrałem się w góry bez prowiantu i trochę pobłądziłem...

– Pan chyba jest chory? Niedługo mąż przyjedzie z pracy, to mógłby panu pomóc się dostać do miasta...

– Naprawdę nie ma takiej potrzeby, tylko chwilę tu sobie odpocznę, oczywiście jeśli pani pozwoli. Nic poważnego się nie dzieje, proszę się nie obawiać.

– To dobrze... Wie pan, bo ja nie bardzo mogę się denerwować. A gdyby pan mi tu zemdlał...

Co to ma być za paplanina, kto mu pisze te dialogi, do jasnej anielki, czy po to w śmiertelnej chorobie anioły stróże popchnęły go w stronę ramion kobiety doskonałej, żeby z nią wymieniał uprzejmości bez wdzięku? Co to za telenowelowe pierdu-pierdu, nie stać go na ułańską szarżę? Kiedy, jeśli nie teraz? Czemuż nie zdobędzie się na ostatni podryg dawnego mistrza podrywów? Ech, gdyby tylko odzyskał dość sił, żeby zainicjować pogwarki bałamutne w dawnym stylu, ech, gdyby już na powitanie nie objawił się jako przybysz cherlawy, jako tajemniczy zdechlak, rachityczny umarlak, po którym nie znać śladów dawnej siły, po którym nie sposób rozpoznać, że drzemią w nim moce, które przed nie tak znów wielu laty pozwalały skutecznie emablować najbardziej nawet chłodne i zasadnicze kobiety; Robert przypomina sobie, jak to było, kiedy po pierwszych sukcesach swoich lekką ręką pisanych zbiorów opowiadań miłosnych rwał panny pojedynczą frazą, rwał „na siebie", żonglując autocytatami, biegle składając słowa erogenne, ze sprawnością sztukmistrza wydobywając utajone pokłady bezwstydu nawet z najbardziej kostycznych dam, był czas, kiedy Robert rozochocał panny i mężatki samym pojawieniem się, albowiem jego niepozorny wygląd i dyskretne usposobienie niejako zaprzeczały seksualnym breweriom, które po mistrzowsku opisywał w krótkich i celnych prozach, każda więc chciała sprawdzić, jakże to właściwie jest, że osobnik stwarzający tak nieefektowne pozory potrafi jak nikt inny rozpalać zmysły samym słowem; wystarczyło, że zadawały mu pytanie: „Skąd pan czerpie pomysły, jeśli można spytać?", i już nie musiał odpowiadać inaczej niż zawstydzonym uśmieszkiem, nie musiał niczego mówić, jako zawodowy bezecnik wiedział, że jego zmyślne podszepty i tak gnieżdżą się w umyśle każdej z tych, która choć raz sięgnęła po jego pikantne kawałki.

Robert wie, że dzisiaj nic z tego, nie może już rwać „na siebie", bo od pewnego czasu nie wygląda na siebie, rzekłby, że od dłuższego czasu nie jest sobą (cóż bowiem znaczy „być sobą", o którego „siebie" chodzi – tego, w którym się żyło lekko, łatwo i przyjemnie, z którym się było w zgodzie, czy też tego, którym z czasem się stało, przywiędłego, zniechęconego i tęskniącego za przeszłością, każdą przeszłością, nawet tą najbardziej wyblakłą i ponurą, bo w przeszłości się żyło, w przeszłości się zdrowiało, w najbliższej przyszłości zaś będzie się już tylko dogorywać); wygląda niezdrowo i takoż myśli, cokolwiek by powiedział, zabrzmi to niezdrowo, podryw wanitatywny nie wchodzi w grę, nie wie, jak miałby uwodzić na marnienie w oczach, jakkolwiek by do Róży próbował przemówić uwodzicielsko, parodią samego siebie się wyda, bo czas niepostrzeżenie zapędził go w przedśmiertny zaułek, a w takich zaułkach nie ma już miejsca na ogniste romanse, nie ma już czasu na start do miłości życia, tam jest zbyt ciasno, tylko strach i cierpienie wydzierają sobie resztki przestrzeni. Róża przysiadła obok i przypatruje mu się szczerze zatroskana, widać, że nie przywykła do podejmowania gości, obecność obcego mężczyzny naturalnie ją krępuje; Robert wie, że została mu tylko jedna karta, którą może zagrać – zna przecież z żabiej perspektywy okruchy jej życia, jeśli je przemyślnie poskłada, może się okazać, że wie o niej więcej, niż sama wie o sobie; niech więc spróbuje opowiedzieć jej o niej, przynajmniej przez kilka chwil będzie się delektował faktem, że słucha go kobieta najurodziwiej paradoksalna, najfenomenalniej zbudowana ze sprzeczności, będzie jej mówił, skąd ją zna, i przeklinał w duchu niewczesność; niewczesny to bowiem żart losu, kobiecość takiej skali podsunąć jego podupadłej męskości na odchodnym z życia.

Róża słucha. W tym, że została rozpoznana, nie ma niczego szczególnego, w ostatnich latach nie rozpoznawali jej tylko ludzie, których dawno nie było w kraju, albo pięknoduchy, których życie przebiega w bibliotecznej alienacji, ci, którzy programowo uprawiają intelektualny wegetarianizm i nie interesuje ich nic, co pokazane, żywią się wyłącznie tekstem, obnoszą z brakiem telewizora, pogardą dla repertuaru kin, sztuki teatralne też wolą czytać, niż oglądać, słuchają tylko ulubionej radiostacji, której ramówka poświęcona jest wyłącznie muzyce poważnej, literaturze poważnej i poważnym informacjom, skądże, u licha, mieliby brać czas na niepoważne zainteresowania, niby dlaczego mieliby znać twarze ikon popkultury, na samo zderzenie słów „ikona" i „popkultura" dostają torsji, na samo zderzenie przedrostka „pop" ze słowem „kultura" robi im się niedobrze (kultura masowa nie istnieje, co najwyżej masa kulturowa, drodzy państwo, miazga kulturowa, miazmat wydzielany przez masy, które o kulturze wysokiej pojęcia nie mają, takoż więc prosimy nie zawracać nam głowy bzdurami, owszem, nazwisko pani Róży być może obiło nam się o uszy, doceniamy szlachetność jej zawodowych wyborów, jeśli pani Róża będzie kiedyś mówić poważnym tekstem, gotowiśmy nawet jej posłuchać, tymczasem jednak nie widzimy powodów, dla których nie należałoby nam wierzyć w to, że jest dla nas osobą nierozpoznawalną, to nas, proszę państwa, wcale nie dyskwalifikuje, tak jak w naszych oczach nie dyskwalifikuje państwa fakt, że nie rozpoznajecie cytatów, *Wo man Bücher verbrennt, verbrennt man am Ende Menschen*, obiło wam się o uszy, prawda, chociaż możecie nie wiedzieć, kto i w jakich okolicznościach to wypowiedział; że co? nie, to nie było na Bebelplatz w trzydziestym trzecim, pozory mylą, wciąż jednak nie uważamy państwa za zdyskwalifikowanych); oto więc jako ikona popkultury Róża przywykła do uciążliwej rozpoznawalności, przez lata doskonaliła sztukę mimikry, zakładając nawet w dni pochmurne ciemne okulary, czapkę z daszkiem i niedbałe ubranie, a i tak prawie nigdy nie udawało jej się przemknąć niepostrzeżenie do spożywczego czy choćby po gazetę, pal licho łowców autografów, ci zadowalali się jej podpisem, najgorsi byli ci, którzy korzystając z jedynej w swoim rodzaju okazji napotkania gwiazdy u szczytu blasku, zatrzymywali ją niby tylko na momencik i niby to życzliwie gratulowali ostatniej roli, a potem niepostrzeżenie zbaczali na temat ostatnich doniesień brukowców i wysondować próbowali, czy to prawda, co piszą, jeśli zaś wymknęło jej się, że nie wie, co o niej piszą brukowce, zanim zdążyła dodać, że jej to w ogóle nie interesuje, poczuwali się do obowiązku zrelacjonowania jej toczka w toczkę i co do joty tego, jak jej życie wygląda z perspektywy czytelników brukowców; Róża w głębi ducha zaczynała pomstować na wyniesione z domu maniery, z których powodu nigdy nie nauczyła się skutecznie zniechęcać do siebie ludzi, nie umiała zbywać nawet tych ewidentnie namolnych, nie przechodziło jej przez gardło zwykłe „Przepraszam, ale bardzo się spieszę", bo nauczono ją w dzieciństwie, że nie należy nikomu przerywać w pół zdania, a już w żadnym razie nie wolno wchodzić w słowo starszym; traf chciał, że najbardziej namolne i dysponujące najbogatszym zestawem świeżo wyssanych z palca informacji na temat Róży były właśnie starsze panie, uwielbiające zatrzymywać ją na momencik i zdawać relację z prasówki w przekonaniu, że czynią jej w ten sposób przysługę, przecież nie czyta tanich kolorówek, więc nie może wiedzieć, co się z nią wprawia; o tak, starsze panie dobrze się na jej życiu znały, znały się na nim lepiej niż ona sama, Róża kawał życia spędziła, przystając tylko na chwilę w drodze do sklepu i wysłuchując plotek na własny temat. Rozpoznawalność w połączeniu z nieuleczalnie dobrymi manierami powoduje, że cena płacona każdego dnia za sławę rośnie; kto wie, czy w pierwsze przemęczenie, w późniejszą senność i w obecną narkolepsję nie wpędziły Róży właśnie życzliwe staruszki.

Róża słucha; ten człowiek ma niewątpliwego bzika, chociaż jest dorzeczny, nie bajdurzy, rozumuje logicznie i obiektywnie, a więc to wariat diablo inteligentny; mimo to nie wydaje się niebezpieczny, dobrze się go słucha, bo nie stara się udawać, że wie i rozumie więcej, niż naprawdę zdołał pojąć (tym różni się od sprowadzanego przez Pana Męża psychiatry). W tym, że Robert ją rozpoznał, nie ma nic dziwnego, zdumiewająca jest perspektywa, z której podglądał jej życie; wiedza, jaką o niej posiadł, spozierając ze swojego piwnicznego okna, ją zawstydza, sprawność, z jaką zszywa skrawki jej życia w całość, niepokoi, a jednocześnie trudno jej się oprzeć ciekawości. Sprytnie zastawił tę pułapkę: o ile przywykła do oglądania fotografii, które jej robiono z ukrycia (niezastąpiona życzliwość staruszek z bulwarówkami na podorędziu), to słuchanie historii własnonożnie przez nią wychodzonej jest czymś zupełnie nowym; słucha więc cierpliwie.

– ...ostatnia premiera musiała być bardzo udana. Wracała pani z teatru radosnym krokiem, boso, szpilki niosąc w ręku, pod rękę szedł z panią ten sam mężczyzna, co zawsze. Później już nigdy pani nie widziałem. To znaczy, pani nóg...

– Przeprowadziliśmy się tutaj... Potem miałam wypadek, zasnęłam za kierownicą, wie pan, teraz mam takie... dłuższe wakacje. Muszę dojść do siebie.

Robert urwał opowieść w stosownym momencie, tak żeby dać Róży odczuć, że nie powiedział wszystkiego, że są jeszcze szczegóły, które nie uszły jego uwagi, a diabeł się w nich gnieździ (przekonany o tym, że dobrze się schował). Ten-sam-mężczyzna-co-zawsze, czyli Pan Mąż, co prawda dbał o to, by nie pozwolić sobie na nieostrożność, starał się nie pokazywać w miejscach publicznych z kochanką, ba, wspólnie uradzili, by nie wychodzić o tej samej porze z pracy, razem więc ich nie widywano, ale ich nogi tę samą trasę w ten sam pospieszny i arytmiczny sposób pokonywały, Robert nie mógł nie zauważyć, że te nogi mają się ku sobie, do siebie się spieszą, bliźniaczo zniecierpliwione, w typologii kroków sporządzonej przez Roberta miały swoje osobne miejsce, nietrudno je było do siebie dopasować, kroki dwojga kochanków są jak kotyliony, choćby na siebie nigdy nie spojrzeli, doskonale ukryci przed ciekawych wzrokiem, ich tajną wspólnotę zdradzają kroki występkiem naznaczone; Robert nie ma najmniejszych wątpliwości – Róża i Pan Mąż już ze sobą nie chodzą; Pan Mąż teraz nie chodzi, lecz chadza, niby to sam, a tak po prawdzie z inną, nawiasem mówiąc, wcale apetyczną, parą nóg. Robert wietrzy szansę na to, by podryg jednak w podryw się przeobraził; z dawien dawna bowiem wiadomo, że jednym z najskuteczniejszych sposobów jest rwanie „na zemstę" – kobieta świeżo poinformowana o tym, że jest zdradzana, łaknie odwetu, kto się naonczas znajdzie w jej pobliżu, okazję będzie miał, jak to się mówi, stuprocentową, jedynie niewiarygodny kiks mógłby spowodować, że jej nie wykorzysta, kiks lub chęć bycia fair, czyli w tym przypadku zwykłe frajerstwo, głód zrównoważenia zniewagi jest bowiem tak silny, że zdrady odwetowej nie stosują tylko kobiety o prawdziwie i dozgonnie złamanych sercach, najbardziej beznadziejne przypadki, resztę swoich dni spędzające na rozpamiętywaniu utraconego szczęścia i nieszporach. Bycie fair jest w tym przypadku kwestią umowną: umówmy się więc, że Robert sam z siebie nie odkryje przed Różą sekretu Pana Męża, będzie milczał jak grób, jeśli tylko

sama nie zechce z niego wyciągnąć informacji, przyznaj-
my, że to uczciwe postawienie sprawy, proszę bardzo,
Robert stosuje nawet ryzykowną zagrywkę, sugerując,
że jego czas już minął:

– Przepraszam, że tak panią zagadałem. Już mi lepiej, myślę, że powinienem spróbować zejść do wioski.

– Nie nie, proszę zostać, dopóki mąż nie przyjedzie. Ja tu ciągle jestem sama, właściwie nie mam kontaktu z ludźmi, tak mi się przyjemnie pana słuchało...

(Czyżby rybka skusiła się na dżdżowniczkę?)

– Niech mnie pan źle nie zrozumie, ale... skoro pan
tyle zauważa...

(Taka tłuściutka, tak żwawo się wije, w ogóle nie
widać haczyka.)

– Być może mógłby mi pan jeszcze powiedzieć...

(Spławik się rusza.)

– Czy widywał pan mojego męża... no, wie pan...
nie ze mną?

(Jest branie!)

Robert przestrzega zasad. Róża słucha. Dowiaduje
się. Nie zasypia.

Pan Mąż dziś jest punktualny jak dawniej; może
nawet tak już mu zostanie, bo stosunki pozadomowe
uległy niespodziewanej zmianie, jakowaś wolta niezro-
zumiała nastąpiła, sprawy przybrały niezrozumiały ob-
rót etc., Pan Mąż już trzykrotnie usłyszał od kochanki,
że nie ma go w jej planach na kolejny dzień; za pierwszym razem nie zrobiło to na nim wrażenia, wziął to za

żart, próbę przekomarzania czy co tam jeszcze, babski humorek i tyle; za drugim razem poczuł się urażony, nie udało mu się zachować zimnej krwi, warknął do słuchawki coś niemiłego, trzeciego dnia próbował wziąć ją na milczenie, nie dopraszać się schadzki, nie wysyłać esemesów, czekać, aż pierwsza się odezwie, ale oczywiście nie wytrzymał, zadzwonił, no i dupa, miała wyłączoną komórkę, i to o tej porze, którą uzurpatorsko zwykł nazywać i c h porą, o tej porze zazwyczaj miała wyłączoną komórkę z tej prostej przyczyny, że akurat się z nim bzykała; Pan Mąż wydzwaniał bezskutecznie przez dwie godziny, zanim kochanka włączyła telefon i niemal natychmiast oddzwoniła, z irytującą pewnością siebie pytając, czy coś mu odbiło, bo jej się wyświetliły czterdzieści cztery nieodebrane połączenia; Pan Mąż zapytał, co robiła, a potem sam zaczął sobie głośno odpowiadać, kiedy zaś kochanka dowiedziała się już, co i z kim na pewno wyczyniała, powiedziała, że właściwie wszystko się zgadza, z tą różnicą, że nie nazywają tego pierdoleniem, tylko miłością, i rozłączyła się definitywnie, over, bez odbioru. Naprędce dokonany bilans przekonał Pana Męża, że chcąc mimo wszystko kontynuować ten związek pozamałżeński, będzie musiał ponieść stanowczo zbyt wysokie koszty emocjonalne. Nadszedł czas pokory; Pan Mąż dziś przyjeżdża pod dom punktualnie, ciekaw, jakież to czekają nań kulinaria.

Lecz cóż to za niespodziewany gość, co tu robi, jak to się stało, że Róża wpuściła jakiegoś faceta, coś to wszystko fałszywym akordem pobrzmiewa.

– Kochanie... Pan Robert schodził z gór i poczuł się słabo, zaprosiłam go, żeby poczekał na ciebie – myślę, że powinniśmy go odwieźć do domu.

Robert naprawdę nie chciałby państwa kłopotać; Róża pyta retorycznie, co będzie, jeśli znowu zasłabnie, poza tym już się zmierzcha, gdzieżby człowieka wypuszczać w ciemności; Pan Mąż ochoczo podchwytuje pomysł jazdy do miasta, powiada, że żona ma rację, powinien go odwieźć, akcentuje liczbę pojedynczą, żeby Róża zrozumiała, że ma zostać w domu; Robert się zastanawia, kiedy ostatnio usłyszał z ust kobiety słowo „zmierzch", zastanawia się, jaki sens mają jego resztki życia, jeśli nie będzie ich mógł spędzić u boku tej kobiety i słuchać różnych form słowa „zmierzchanie", zastanawia się, co zrobić, żeby móc przez resztę życia nadstawiać ucha i słuchać, jak Róża łagodzi jego lęk przed nieuniknionym zmierzchem; Róża idzie coś na siebie narzucić, zaraz mogą jechać; Pan Mąż stoi przez chwilę przy Robercie i nieudolnie próbuje do niego zagadać, że niby wszyscy teraz słabną, pogoda taka niestabilna, ciśnienie spada, ale nie kończy zdania, przeprasza na moment i daje susa w ślad za Różą, żeby wyperswadować jej tę przejażdżkę, bo po co, on sam pojedzie tam i z powrotem, a ona przez ten czas mogłaby przygotować coś do jedzenia, jest w najwyższym stopniu zaniepokojony, że dotąd tego nie zrobiła, przecież już ją przepraszał za ostatnie spóźnienie, od tamtej pory wraca punktualnie, wszystko wróciło do normy, więc, do diabła, dlaczego nie ma dziś obiadu, co robiła przez tyle godzin, gadała z tym tam powsinogą, z jakiej choinki on się urwał, czy Róża nie zdaje sobie sprawy, jak lekkomyślne jest wpuszczanie nieznajomych na teren posesji? Robert myśli, jak by tu zdobyć numer telefonu Róży, biegają mu po głowie pomysły na pierwszy esemes miłosny, którym mógłby wywabić ją z gniazdka i nakłonić do wspólnego rozgarniania ciemności, przyłapuje się na tym, że po raz pierwszy od wizyty w gabinecie Adama zapomniał, że niebawem umrze; Róża myśli, jak by tu dyskretnie dać Robertowi swój numer telefonu, tak żeby nie poczuł się skonfundowany, nie chodzi jej wcale o to, żeby Pan Mąż niczego nie zauważył, przeciwnie, najchętniej demonstracyjnie wręczyłaby swoją wizytówkę, Róża jest spragniona spontanicznej, nielegalnej demonstracji przeciw Panu Mężowi, na dobry początek bierze Roberta pod rękę i prowadzi go w stronę auta, patrząc na Pana Kierowcę wymownie; Pan Mąż jeszcze nie wie, że został zdegradowany i przemianowany, ale już podejrzewa, że i w domu sytuacja zmieniła się radykalnie, jak tu nie wierzyć, że nieszczęścia chodzą parami, no dobrze, podprowadziła faceta do auta, bo niby osłabiony i w ogóle, ale już sadowić się obok niego na tylnym siedzeniu to lekka przesada, Pan Mąż będzie się gniewał, tymczasem rusza ze wściekłym piskiem opon. Robert się nie spodziewał, że podryw na zemstę będzie miał tak podręcznikowy przebieg; Róża prowokacyjnie opiera głowę na jego ramieniu; Pan Mąż widzi to w lusterku i zwalnia, jakby się chciał zatrzymać, najwyraźniej Róża haniebnie rozemocjonowana pierwszym poznanym po dłuższej przerwie mężczyzną zaraz przyśnie. Robert boi się tylko, żeby nie rozpętała się tu jakaś awantura małżeńska, nie przeżył niczego bardziej żenującego i wyczerpującego niż bierne uczestnictwo w cudzej awanturze małżeńskiej, awantura z własną Żoną to przy tym fraszka, począwszy od dzieciństwa, w którym często zupełnie niechcący pakował się na linię ognia między rodzicami (ale o nich sza), panicznie boi się znaleźć na polu bitwy między małżonkami; Róża mówi do tego pana za kierownicą, żeby się nie martwił, nie ma zamiaru zasypiać, w tym czasie wkłada do kieszeni Roberta wizytówkę z napisaną na odwrocie magiczną komendą „Zadzwoń"; Pan Mąż nie wierzy własnym oczom, a to dość niebezpieczne, kiedy jest się kierowcą, postanawia więc skupić się na prowadzeniu, już on sobie z nią pogada w drodze powrotnej.

Na dźwięk nadjeżdżającego samochodu przed domem Roberta już się formuje powitalny komitecik, kobiety domowe wyszły na przedproże i niemal synchronicznie wsparły się pod boki; dla Teściowej to gest naturalny, pozycja wyjściowa do ogarniania zjawisk ziemskiego padołu, wsparta pod boki Teściowa wyraża na co dzień dezaprobatę wobec tego, jak się sprawy mają (co dzień od świtu wsparta pod boki wysłuchuje, jak ojciec dobrodziej na swojej częstotliwości uczula na częstotliwość świętokradztw, niemoralnych postępków, polakożertsw i żydłaczych rozpanoszeń, które się dokonują w ojczyźnie gorejącej, Teściowa wsparta pod boki i kiwająca głową codziennie od świtu słucha i zgadza się, że orzeł piastowski cierniową ma teraz koronę, Teściowa czeka na instrukcje, jakimi sposobami wspierać można walkę o ratunek dla deprawowanego i rozgrabianego kraju, jak dotąd chodzi wyłącznie o wsparcie finansowe dla ojca dobrodzieja, który także w imieniu Teściowej, jak i wszystkich przyjaciół radyjka zbiera środki, by bronić krzyża przed pogaństwem), sprawy się mają tak, że jej córka, a tego co-on-sobie-w-ogóle-wyobraża Żona odchodzi od zmysłów; do pracy przestał przychodzić, znika na całe dnie i nie czuje się nawet zobowiązany do tego, żeby łaskawie poinformować rodzinę, gdzie się wybiera, kiedy ma zamiar wrócić, taka niesubordynacja wprowadza dysharmonię w stosunki rodzinne, Teściowa oczywiście rozumie, że Robert przeżywa trudny okres, chętnie z nim sobie porozmawia, ale jeśli Robert ma zamiar doprowadzać jej córkę do załamania nerwowego, to ona czuje się w obowiązku interweniować; szczęście, że Teść o niczym nie wie, ostatnio ma swoje kłopoty i lepiej go dodatkowo nie drażnić; Teściowa wsparta pod boki układa sobie w myślach przemówienie, ma do tego prawo, w końcu to jej dom, Robert musi się podporządkować zasadom życia rodzinnego, życia, dodajmy koniecznie: harmonijnego – układa sobie w myślach i natychmiast rozsypuje, bo przychodzi jej do głowy pomysł znacznie przebieglejszy. Robert żegna się z kimś tam w samochodzie i zmierza do domu krokiem pewnym, z miną absolutnie poczucia winy wyzbytą, och, jaki to z siebie zadowolony, a Żona ledwie oddech ze zdenerwowania łapie; Teściowa wie, jak mu zmącić nastrój, swego czasu była dyrektorką gimnazjum, lata praktyki uczyniły ją mistrzynią upupień, Roberta w tej sytuacji nie ma sensu karcić, należy go upupić, mówi więc w imieniu komitetu powitalnego głośno i wyraźnie, tak żeby smarkacza zasarkać w obecności tych tam, co go odwieźli, komitywę więc niejaką z nim tworzą, ktoś tam mu nawet macha ręką na pożegnanie przez opuszczoną szybę, nie widać wyraźnie, ale chyba kobieta, tym bardziej więc upupienia dokonać trzeba (głośno, wyraźnie):

– Oo, nareszcie wrócił nasz buntownik!

12

Nie było obiadu, będzie za to wspaniała kolacja; Pan Mąż na pewno bardzo zgłodniał, ale teraz ma fazę twardziela, honornie zamknął się u siebie, wcześniej przegrzebał hemingwayowską biblioteczkę i wrażo nalał sobie dwunastoletniej whisky z Islay – na taki aperitif trzeba przygotować jakąś ekstra odpowiedź, Róża nie ma zbyt wiele czasu na eksperymenty, na szczęście bieluń rośnie pod domem; zrobi mu z niego sałatkę. Róża jest pewna: to będzie najbardziej niezapomniana kolacja w życiu tego pana.

Pan Mąż nie może się skupić na książce, woli poprzeglądać stare bilanse, czytanie list wydatków sprzed lat to więcej niż oglądanie starych fotografii, to jak lektura własnych dzienników; wszystko ma zanotowane, miesiąc po miesiącu, dzień po dniu, w osobnych kategoriach: materiały biurowe, używki, artykuły spożywcze, usługi prostytutek (te figurują jako „ciasteczka") etc., dokładnie, bez przeoczeń, w słupkach, tabelkach, wykresikach, Pan Mąż wertuje dawne bilanse i tęskni do życia policzalnego, przewidywalnego, kontrolowanego; małżeństwo zdecydowanie zmieniło charakter wykresów, zdezorganizowało tabelki, zniekształciło słupki, zapiski straciły na symetrii i powtarzalności; kategoria nieprzewidzianych wydatków, w życiu kawalerskim Pana Męża tylko awaryjna, w małżeństwie stała się jedną z podstawowych. Pan Mąż pociąga łyk szkockiej i wzrusza się nad losem wszystkich Panów Mężów tego świata, którym kobiety bezpowrotnie dezorganizują bilanse. (Gdzie jest sweter? Stary dobry hemingwayowski sweter jest w tej sytuacji nieodzowny, w starym swetrze najprzyjemniej zanurza się w fotelu i myśli o świecie bez kobiet.)

Jednak lepszy będzie wywar, Róża doleje mu go do wina, liście bielunia mają nieprzyjemny posmak, mógłby nie zjeść wystarczającej ilości. Za to mięso przyprawi szczyptą lulka.

Pan Mąż mimo zamkniętych drzwi czuje z kuchni jakieś zapachy; głód jest silniejszy niż honor, chętnie by spojrzał, co mu tam znowu wypichciła, nie musi z nią przecież rozmawiać.

Podano do stołu.

Pan Mąż nie może się oprzeć.

Pan Mąż wtranżala, aż miło; Róża dolewa mu wina, pogryza bagietkę, przygląda się, pilnuje, żeby nie otruł psa – Pan Mąż lubi rzucać mu kilka ochłapów z obiadu, potem może z nim robić, co chce, na przykład odbywać długie samcze rozmowy połączone z czochraniem, drapaniem, tarzaniem się po dywanie; dziś psa lepiej trzymać z dala od stołu, instynkt mógłby mu nie podpowiedzieć, że Pan je coś bardzo fe, lepiej tego nawet nie wąchać, aż dziw bierze, że mu tak smakuje, czy Róża jest tak doskonałą kuchmistrzynią, czy może Pan Mąż ma tak prymitywne podniebienie, ziarna lulka w sztuce mięsa bierze za ostrą przyprawę, a po whisky kubeczki smakowe mu ścięło i wyciąg z bielunia w czerwonym winie daje efekt solidnych garbników, nie ma co się krzywić, trzeba pić i szamać, kiedy żona karmi, prawdziwy mężczyzna lubi pikantne żarcie; Róża się dziś naprawdę postarała, szewczyk Dratewka mógłby u niej pobierać nauki.

Czy jej go nie żal? Oczywiście, że tak, przecież Róża dobrze wie, ile się będzie musiał nacierpieć, żeby przestać kłamać; serum prawdy dla nałogowego oszusta to najwyższy wymiar kary, cóż jej jednak pozostało, skoro Pan Mąż tyle razy się zapierał, Róża czuje się utytłana jego kłamstwami, po prostu chce wziąć kąpiel.

Zaczyna się.

Pan Mąż już ma pierwszy tik, nawet go nie zauważa, czyści talerz bułką; musiał być wygłodniały, nawet nie próbował podzielić się z psem. Skóra zaczyna mu pulsować pod okiem; Pan Mąż wykonuje gest, jakby chciał strącić muchę z twarzy; ramię też mu podryguje.

– Mamy coś zimnego do picia?

No przecież miał się do niej nie odzywać, ale coś strasznie go pali po tym daniu, aż do nosa poszło i oddech taki nierówny, jakby się jąkał przy nabieraniu powietrza, strasznie sucho w tym nosie, śluzówki wyschły, co ona mu podała, co się dzieje. Pan Mąż zaczyna rechotać, wcale mu nie jest do śmiechu, a mimo to zanosi się chichotem i nie może przestać, jakby ciało go wyśmiewało, nie jego ciało, bo co też ono wyprawia, ręce się ruszają, jak chcą; ten śmiech jest jak koszmarna czkawka, której nie można przerwać, zaraz, jak to było, żeby przeszła czkawka, trzeba kogoś przestraszyć, nie, inaczej,

– ...chyba samemu się przestraszyć, hehehehehe-hehehehehehehehehe, zaraz, czy ja to powiedziałem na głos? hehehehehehehehehehehehehehehehe-hehe.

– Widzę, że ci smakowało.

To Róża, ale nie ma pewności, w chwili obecnej nie ma żadnej pewności, Pan Mąż nie potrafi nawet od-różnić słów od myśli, wydaje mu się, że jej odpowiada, śmiech ustał równie nagle, jak się pojawił (ale nie ma pewności).

– Uwielbiam twoją kuchnię. Gdyby Hanka umiała tak gotować...

Róża włącza dyktafon na wypadek, gdyby miała za-snąć, to jednak dość emocjonujące widowisko: skopola-mina już działa, Pan Mąż jest bardzo silnie podniecony, chodzi w kółko, wygina się w różne strony, ma bogaty zestaw tików, zaczyna wpadać w słowotok. Róża musi mieć pewność.

– Hanka?

Znowu ten śmiech, samo mu się śmieje, przeciw niemu, śmiech zabiera mu oddech, to wcale nie jest śmieszne; Pan Mąż się dusi.

– Hehehehehehehehehehehehehehehehehehe. Yhh-hyy... Co ty mi podałaś? Hanka, moja Hanka, kochanka, eheheheheheheheheh. Już ją poznałaś, tylko nie pamiętasz. Ona nerwowa jest, strasznie zazdrosna o ciebie, nie chce wierzyć, że hehehehehehehehehehehe jak się podniecisz, to zaraz yhhhyyyy zasypiasz, heheheheh.

Pan Mąż kaszle śmiechem, próbuje usiąść i wstać jednocześnie; właśnie zauważył, że ma dwie pary nóg, zaczyna nimi stepować, Astair nie miałby szans; stepuje i nie przestaje mówić (przestał się śmiać, chociaż śmiech nie ustał, więc kto się śmieje, co się teraz śmieje, być może to stadko gawronów, które przysiadło na półkach i żyrandolu; przyleciały, żeby popatrzeć na jego taniec):

– Ona tu przychodziła czasem Taka bywała bezczelna W ogóle się tobą nie przejmowała Mówiła że ci robi twardy reset Wiesz że tak masz nigdy nie pamiętasz dlaczego zasnęłaś Lepiej że nie wiesz wierz mi Ale już wszystko skończone nie przejmuj się Podoba ci się jak tańczę?

Róża już nie musi na to patrzeć, może sobie nawet zasnąć – najbardziej usypiająca okazuje się uporczywa myśl o tym, żeby nie spać za wszelką cenę, wystarczy przestać się tym przejmować: dyktafon pracuje, Pan Mąż jest tak wzruszająco szczery; to będzie naprawdę przebojowe nagranie.

Oczy mu poczerniały od powiększenia źrenic; lepiej żeby nie zobaczył swojego odbicia, po czarcim zielu do wszystkich luster diabeł się wprowadza. Pan Mąż właśnie przechodzi etap paranoiczny; nawet tu okazuje się banalny, jaka wyobraźnia, taka paranoja:

– umęczon i pogrzeban zmartwychwstanę jak oznaj-
mia pismo chociaż się nie nadaję najchętniej bym wyje-
chał gdzieś ryby połowić ja w ogóle nie mam chwil dla
siebie ciągle tylko uzdrawianie nauczanie i jeszcze trzeba uważać żebyś się nie zdenerwowała miałem rozmowę
z judaszem znowu prosił o zastępstwo nie wyobrażasz
sobie jaki to nieszczęśliwy człowiek no proszę ja do ciebie mówię a ty zasypiasz jaki ja ciężar muszę dźwigać
chciałbym żeby mnie ukrzyżowali w moim swetrze nie
śpij chcę żebyś robiła zdjęcia jak mnie będą przybijać specjalnie naładowałem baterie gdyby się pojawił bóg olej
go na nim się zawsze film prześwietla trzeba by mieć jakieś specjalne filtry nie śpij proszę sprawdź czy nie mają
zardzewiałych gwoździ zawsze się bałem tężca jestem
taki wielki a ty śpisz chyba muszę na powietrze muszę

Pan Mąż rośnie w zastraszającym tempie, jeśli natychmiast nie wyjdzie z domu, zaklinuje się między ścia-
nami, zakleszczy między podłogą i sufitem, oj, trzeba
uciekać na zewnątrz; już w ogrodzie wymachuje rękami
na wszystkie strony, próbując zerwać się do lotu, jaka
szkoda, że Róża przespała ten moment. Dotarł do granicy lasu, potrącił kilka świerków, ale je przeprosił; chyba
już nie poleci. Pan Mąż znika w tłumie drzew.

Za kilka godzin las spospolicieje. Pan Mąż obudzi
się ze snu, którego nie było, w paprociach, z igliwiem
we włosach, z kawałkami mchu w ustach, brudny, podra-
pany i bardzo przestraszony. Zobaczy wokół siebie gęstą
świerczynę, usłyszy głosy nocnych zwierząt i poczuje, że

zmarzł (gdyby nie stary, wierny sweter, mógłby nie przetrwać tej nocy). Poszczęści mu się: księżyc w pełni zasłu-
ży na miano sprzymierzeńca, Pan Mąż będzie mógł się
przedzierać przez półmrok, w końcu znajdzie stary szlak
i trafi do domu o świcie. Zastanie Różę odsłuchującą nagranie jego głosu, choć nie będzie mógł zrozumieć, jak
mógł wygadywać takie rzeczy; zwłaszcza zaś wyda mu
się nieprawdopodobne, że ot tak przyznał się do zdrady.

– Ty wiedźmo, chciałaś mnie zabić.
– Za mała dawka. Chciałam tylko, żebyś nie mógł
kłamać.
– Jak możesz tego słuchać?
– Jak mogłeś mi to zrobić?
– Wiesz wszystko i... nie denerwujesz się? Nie je-
steś senna?
– Nie.
– Jak to możliwe?
– Widocznie już cię nie kocham. Chciałabym, żebyś
się wyprowadził.
– Nie powinnaś zostawać sama.
– Nie powinnam zostawać z tobą.
– Pewnie nie zasługuję na przebaczenie, ale...
Chciałbym, żebyś wiedziała, że żałuję.
– Wybaczam ci zdradę, ale nie umiem wybaczyć
kłamstwa.

Jest już jutro. Róża sama wezwała psychiatrę; Pan
Mąż nie ma czasu, pakuje manatki, całkiem sporo mu się

224

ich zebrało (dom jej zostawi, reszta jest jego). Psychiatra mądrze prawi, w każdym razie uspokajająco, chwali jej decyzję, kobieta tego formatu nie powinna marnować sobie życia z człowiekiem nieuczciwym, powiada półoficjalnie, tak między nimi mówiąc, tak bardziej jako psycholog, kobieta tego formatu powinna rychło odzyskać siły dzięki podjęciu odważnej, ale, musi to przyznać, jedynej możliwej decyzji, nieudane związki należy przerywać już po pierwszych niepokojących objawach, potem tumor się rozrasta i spija całą pozytywną energię, żyć się człowiekowi odechciewa, psychiatra musi przyznać, że wie coś o tym dzięki osobistym doświadczeniom i szczerze musi pani powiedzieć, pani Różo, że jest z panią całym sercem, zobaczy pani, znowu polubi pani życie, nie trzeba się bać samotności; Róża się nie boi (myśli o Robercie), wolałaby, żeby psychiatra mniej psychologizował, chciałaby usłyszeć nową diagnozę, śpieszy jej się do życia.

– Wszystko wskazuje na to, że przyczyną ataków było silne wyparcie, którego pani dokonała. Wyparcie, nie amnezja. Pani nie chciała przyjąć do wiadomości tego, że jest zdradzana... i stąd ucieczka w chorobę. Podświadomie czuła pani, że to może zatrzymać męża na dłużej. Pętla się zaczęła zaciskać... Współczuję pani, a jednocześnie się cieszę, bo wygląda na to, że najgorsze mamy za sobą. Jak się pani czuje w tej chwili?

– Lżej. Jakbym wypluła kamień.

13

– Drogi panie doktorze, proszę mi powiedzieć, jak długo jeszcze mój stan pozostanie bez wpływu na... te sprawy?

Adam nie ma wiele do powiedzenia Robertowi, w każdym razie nic z tych rzeczy, które mogłyby go usatysfakcjonować; w Robercie szamocze się teraz energia zdrowego człowieka. Adam pamięta, jak listopadowe słońce budziło w wiejskim domu motyle na poddaszu; szalały na strychu, wylatywały przez szpary, niektóre trafiały do jego pokoju i trzepotały przy szybach, domagając się wolności, nawet tej kilkugodzinnej, do pierwszego zabójczego chłodu; zawsze otwierał im okna, wszystkie wybierały kilkanaście minut swobodnego lotu nad jesiennym ścierniskiem zamiast zimowania za szafą. Robert jest bardzo pobudzony, wygląda na to, że właśnie przechodzi jedną z remisji, zwykle poprzedzających fazę terminalną; Adam nie może się nadziwić, ten człowiek nigdy nie miał w sobie tyle życia, słowem się nie zająknął o strachu i umieraniu, opowiada mu o kobiecie, którą poznał, którą koniecznie chciałby mu kiedyś przedstawić, której fenomen próbuje mu wytłumaczyć niepowstrzymaną serią porównań, spośród których

Adam kojarzy tylko Allegretto z *Siódmej symfonii* Beethovena i bramkę Maradony na meksykańskim mundialu. To są typowe objawy miłosnej szajby, Adam coś o tym wie, sam na nią zapadł, od kiedy Piękniś jest chłopcem, a nawet chłopakiem, od kiedy pilnie szlifuje pod jego uchem jędrność fraz, od kiedy karnie doskonali gibkość i taneczność swoją, mimochodem (lecz pod okiem Adama) jędrność tyłeczka udoskonalając – a trzeba powiedzieć, że nigdy nie tańczył tak dobrze, biboje z podwórka są pod wrażeniem, Piękniś uchodzi za faworyta przed najbliższymi zawodami, zawsze był świetnie wytrenowany, ale jednak dość sztywny, mężczyzna go krępował, teraz nie można się na Pięknisia napatrzeć, ma takie kocie ruchy, trzyma rytm, z akrobaty stał się tancerzem; chłopaki mówią, że jeśli nie zgubi formy, może wreszcie wytańczy sobie jakiś hajs, zamiast grzebać ludziom po kieszeniach.

Robert zdecydował się na terapię; problem polega na tym, że jest już o wiele za późno, żeby wyniknęło z niej coś pozytywnego, Adam o tym wie, ale Robert nagle kurczowo złapał się krawędzi życia i siłą woli napędzaną miłosnym otumanieniem gotów się tak jeszcze długo utrzymywać. Nie ma już sensu podtruwać tego człowieka, ale wobec jego stanowczej chęci walki z chorobą Adam zaordynował placebo, trochę środków przeciwbólowych i lekki antydepresant, na razie to wystarczy; pacjent przychodzi na zastrzyki i nie myśli o śmierci, to najważniejsze. Śmiertelnie chorzy mają jednakowoż tę przenikliwość, daną dzięki ostatecznej perspektywie, widzą więcej, a waga ich słów zdaje się precyzyjnie odmierzona; Robert nagle poważnieje, nie tyle sam mówić zaczyna, co jakaś pośmiertna już roztropność przemawia przez niego:

– Powiem ci coś, doktorze, boś młody i jeszcze nie zdążyłeś sobie życia zmarnować. Słuchaj i zapamiętaj: siedem jest grzechów głównych, a najcięższym z nich lenistwo. Pod wieloma imionami będzie się ono przed tobą maskować; jako posępnica albo melancholia będzie występować najłacniej. Nie poddawaj się gnuśności, jak raz cię dopadnie, nigdy nie odpuści. Noce prześpisz, dnie przeziewasz, trudnościom umykając, wysiłku unikając, oślepniesz i ogłuchniesz na żywioły wszelkie. Robak roztoczy nad tobą opiekę. Zamiast radości poczujesz zazdrość wobec wszystkich, którym życie smakuje. Nie będziesz żył, tylko pleśniał, z pleśnią na ustach dreptał w miejscu, cudzym pieśniom wrogi.

Tako rzekł był Robert, jako się mu rzekło. Teraz idzie na zastrzyk. Ma pietra; śmierć mu niestraszna, ale zastrzyki jak najbardziej, odwiecznie, od czasu pierwszych szczepień szkolnych i omdleń w gabinecie higienistki. Pielęgniarki zmieniają się na dyżurach, każda robi zastrzyk inaczej: ta sama zawartość strzykawki, ta sama grubość igły, a ileż różnych sposobów. Te z obrączkami są zawsze nieobecne, dobierają się w parki albo stadka i ponad pacjentami wymieniają doświadczenia młodych żon i matek, ich rozmowy wznoszą je ponad kozetkę, mąż przyniósł trzynastkę, tośmy w kerfurze zaszaleli trochę, promocja łososia była, ja w życiu łososia nie jadłam, proszę rozluźnić mięsień, nawet myślałam, że nie lubię, bo tuńczyka nie lubię na przykład, zgiąć i przytrzymać parę minut, a wiesz, co mój Jasio ostatnio, no mówię ci, chwilę miałam wolnego, a on misia nie chce, chce pieska, daję mu, siedzę sobie trochę przy krzyżówce, ten znowu pieska nie chce, nie ten piesek, to już lepiej misia, daję mu misia, ten znowu, że nie, więc mówię, to czego w końcu chcesz, a on, mamusiu, ja chcę, żebyś mnie kochała, w który pośladek dzisiaj, wyobrażasz to sobie, szkrab przemądrzały; ta ruda jest wiecznie zniechęcona, musi dorabiać na pogotowiu, wbija strzykawkę ruchem mistrza darta, jakby półdupek Roberta był tarczą, w którą należy trafić, co prawda z najbliższej odległości, ale na wszelki wypadek ćwicząc sprawność przegubu: wbija igłę, a potem błyskawicznie wstrzykuje cały mililitraż, przecież musi wiedzieć, że tak bardziej boli, zwłaszcza bolesny lek (bo bywają bezbolesne, Robert dziwi się, że najboleśniejsze zawsze są zastrzyki przeciwbólowe), pomnożony w bólu przez natychmiastowość wstrzyknięcia, być może tej rudej o to właśnie chodzi, żeby był ból, kiedy Robert jej mówi, że go boli trochę, jak tak szybko, ona już zajęta czymś innym, już go odfajkowawszy, odpowiada: „No, jak pana tylko trochę boli, to co pan narzeka?", nie zmiękła nawet wtedy, kiedy Robert włożył czerwone bokserki w mikołaje, najbardziej żenujący okaz bielizny męskiej, na jaki mógł się odważyć, z nadzieją, że ją chociaż rozśmieszy, ale gdzieżby tam ona miała zwracać uwagę, co kto z tyłka ściąga, kiedy już chciała sprawdzić giętkość przegubu, kiedy już zniecierpliwiona strzykawka tryskała kropelką w powietrze, dając sygnał do ataku; z kolei ta młodziutka ofermowata przejęta początkująca tak bardzo się stara, żeby nie poczuł ukłucia, że Robert zwykle czuje ukłucie w trzy dupy, a już najbardziej nie do wytrzymania jest to, że bez przerwy trajkocząc, jakby to miało ból złagodzić, zdrabnia absolutnie wszystkie słowa, które się da zdrobnić, każe mu przycupnąć na taboreciku, dopóki ona nie przygotuje lekarstewka, a kiedy pada hasło „Uwaga, teraz będzie ukłucie, może troszeczkę zaboleć", Robert modli się w duchu, żeby nie złamała igły, kiedy mu się niechcący napną pośladki. Dziś ma szczęście: dyżuruje Panna Zwiewna, o dłoniach, które w delikatności dotyku wacika dezynfekującego miejsce iniekcji równych sobie nie mają; dłoniach, które czułością, z jaką igłę niepostrzeżenie w mięsień mu wprowadzają, rywalizować mogłyby z najlepiej wychowaną komarzycą; ostrożnością, którą dłońmi kieruje, gdy z wolna wtłacza do tkanek Roberta medykament, przypomina ratownika pełznącego po cienkiej warstwie lodu ku przerębli z niedoszłym topielcem. Panna Zwiewna jest dobrym duchem hospicjów, wszyscy chcą przy niej umierać, wieść niesie, że śmierć na jej widok łagodnieje (prawdą jest, że Panna Zwiewna nie uważa cierpienia za uszlachetniające, przeto litościwie wstrzykuje pacjentom śmiertelną dawkę morfiny; w przyszłości, w zupełniej innej, smutnej bajce,

odpowie za to przed sądem nieostatecznym, lecz bez-
względnym: w tym kraju skracanie ludzkich cierpień jest
przestępstwem).

Adam chce z Pięknisiem, Piękniś chce z Adamem;
ambaras jest gdzie indziej: chcieliby móc chcieć jawnie, w świetle dnia i prawa, a to już nie takie łatwe.
Nie są gejami paradnymi; w tej okolicy wyjść z ukrycia
to jak wychynąć z okopu pod lufę snajpera, no weźmy
pierwszy z brzegu przykład: tyle, co sobie zrobili kilka
zdjęć razem, niewinnych zupełnie, a już Adam usłyszał
przy odbieraniu odbitek, żeby więcej do tego zakładu
nie przychodził, a w drzwiach jeszcze mu zafurkotało
za plecami sążniste splunięcie z serdecznymi wyrazami
obrzydzenia połączone. No nie da się, chłopaki muszą
wiać; ale żeby na wieś? Niby domek wciąż stoi pusty,
klucze czekają, tak mu się Matka zwierzyła potajemnie przez telefon, choć dodała, że jeśliby Adam chciał
się wprowadzić z tym... (nie wiedziała, jak Pięknisia
nazwać, w jej słowniku zabrakło stosownego określe-
nia, zawiesiła więc głos i tak jej już zostanie na długo;
Piękniś to dla Matki ten... i na razie nie można liczyć na
więcej), jeśliby miał zamiar sprowadzić ze sobą tego...,
to ona za Ojca poręczyć nie może, już chyba spalić by
domek wolał albo na sierociniec przeznaczyć, chociaż
co na Adama przepisane, to jego, niby racja. Może być
sierociniec, Piękniś to już prawie sierota, Adama też
rodzice się wyrzekli, choć Matka teraz się zarzeka, że
nigdy czegoś podobnego nie powiedziała, ona tylko

nie może przeboleć, pogodzić się, zrozumieć, za jakie grzechy takie skaranie, przecie Bogu nie ubliżała, synek chrzczony, bierzmowany, tak ładnie w komunijnym ubranku wyglądał, teraz jak sobie spojrzy na to jego zdjęcie, serce jej się kraje na plasterki, rzewnymi łzami opłakuje bezpowrotną utratę, Matka jest święcie przekonana, że nie ma już po co żyć, skoro ślubu kościelnego syna nie doczeka, gdyby mogła mieć nadzieję, że to się zmieni, gdyby Adaś chciał się dać leczyć, bo to przecież choroba jest, on niczemu nie winien, na to na pewno są jakieś sposoby... Adam nie zastanawia się, czy sioło przaśne polskie zechce przygarnąć dwóch zakochanych chłopców, okien im nie wybijając, ognia pod nich nie podkładając, psami ich nie szczując, proboszczem ich nie przeklinając, Adam wyobraża sobie nawet i gorsze szykany, ale jednego jest pewien: obaj chcą móc chcieć siebie jawnie, w świetle dnia i prawa, a tej dzielnicy ciemna gwiazda przyświeca, Piękniś dopiero co spod niej wyszedł, im dalej poza jej zasięgiem się znajdzie, tym będzie lepiej, mimo wszystko i wbrew wszystkiemu lepiej.

Pora na zawody, to poważna sprawa, chłopaki mówili o zajebistych nagrodach: firmowa bluza z kapturem i spodnie z krokiem w kolanach, szyk prosty i elegancki; Piękniś dopina torbę i przybija Adamowi piąteczkę, palce im się splatają, chcieliby razem, ale teraz jeszcze nie mogą; Adam przyjedzie pokibicować incognito. Busik czeka i chłopaki się schodzą na placyku przed dworcem,

Piękniś już biegnie przez skwerek, nie szanując zieleni, między psimi kupami na chodnikach lawiruje, jeszcze tylko uliczka i ostatni sprint, żeby się nie spóźnić; oj, chyba się spóźni: Zwyrol z kompanią, co za spotkanie, chyba nie pozwolą się wyminąć.

– No cześć, przepuść mnie, nie mam czasu, jadę na zawody.

– Na jakie, kurwa, zawody? Co też ty pierdolisz? Na mecz z nami miałeś jechać i skrewiłeś.

Piękniś się nie wymknie; już go męskość otacza dresiarska, już go samczość bycza w sile czterech asystentów Zwyrola, zawodowych przytrzymywaczy małomównych, do muru przypiera.

– Ktoś doniósł psiarni i nas w ogóle nie wpuścili na stadion. Rozjebaliśmy im radiowóz, dostałem, kurwa, gumową kulą, chłopaków potraktowali z armatek wodnych i wiesz, co potem napisały gazety? „Mimo drobnych incydentów przed stadionem z udziałem niewielkich grup przyjezdnych chuliganów na boisku i trybunach panowała wspaniała atmosfera". Czerwońce nas wydymali. I jak myślisz, kogo teraz wszyscy podejrzewają? Kto, kurwa, na dzielnicy uchodzi za konfidenta? Możesz nam powiedzieć, gdzie się ostatnio podziewałeś? Przyznasz się bez bicia, czy mam ci od razu poprawić ten szczurzy ryjek?

W Pięknisiu nie ma już mężczyzny, któremu na taką obrazę testosteron zaszumiałby w skroniach, oczy by krwią nabiegły, z nosa para wściekle buchnęła i pięści w gniewie zabójczym się zacisnęły – ten męż-

233

czyzna został z niego wygnany, ale instynkt podpowiada, że najlepszą obroną jest atak, a przynajmniej jego symulacja:

– No teraz przesadziłeś. Jak masz jaja, to poproś kolegów, żeby zrobili miejsce i chodź na solo.

Piękniś wciąż myśli o tym, żeby zdążyć na busik, gdyby się odrobinę rozstąpili, wystartowałby do ucieczki, w tym akurat jest dobry. Liczy na męsko-męski honor Zwyrola, tę ociężałą rytualność mordobicia, cały ten prasamczy kodeks, co to nakazuje podjąć wyzwanie, bo inaczej dyshonor wielki i w ogóle chuj w dupę; Pięknisiowi od pewnego czasu nie czyni to wielkiej różnicy. Częściowo się udało, ferajna zakapiorów przestaje napierać, wycofują się, skoro ma być widowisko, szkoda tylko, że nie mogą obstawić u buka wyniku. Zwyrol niestety kręci głową; no jak to, odmawia pojedynku, czyżby nie miał jaj?

– Nie, koleś, tak dobrze nie będzie. Z konfidentami się nie bije. Konfidentów się karze.

Zwyrol bierze zamach, żeby rozpocząć kolejną operację plastyczną, jego łapa ma moc niewątpliwie niszczycielską, pod warunkiem że trafi do celu; Piękniś robi unik, jeden, drugi, trzeci, Zwyrol macha łapą i nie może trafić, jego kompanom wydaje się to nawet zabawne, Piękniś właściwie już tańczy, to jest taniec uników, z tym układem może i wygrałby zawody, ale tu stawka jest znacznie większa; Zwyrol się wścieka, bo pozwolił się ośmieszyć w obecności swojej świty, poza tym właśnie się ziszcza jego najkoszmarniejszy sen o niemocy:

234

wszystkie jego ciosy chybiają, nie może dosięgnąć gęby, którą tak bardzo chciałby zmiażdżyć zmasakrować zgruchotać, im bardziej nie może dosięgnąć, tym większą krzywdę jej poprzysięga, no śmieją się z niego, a Piękniś sobie tańczy, tańczy tańczy tańczy; Zwyrol ma dość, wyjmuje nóż. Wobec noża tańczyć w obronie własnej jest trudniej. Zwyrol pragnie Pięknisia ożenić z kosą, jakby nie wiedział, że on już z kim innym zaręczony. Czas najwyższy oznajmić to oficjalnie:

– Schowaj scyzoryk, bo mnie skaleczysz. Mógłbym cię zarazić gejowską krwią. Jestem ciotą, kolego. Widzisz, nie mogłem jechać na zadymę, bo mój facet nie chciał mnie wypuścić z łóżka. Nie odpuszczaliśmy sobie, takiego bzykanka jeszcze ta pipidówa nie widziała. Jak chcesz sprawdzić moje alibi, będziesz się musiał pospieszyć, bo niedługo się wyprowadzamy. A teraz zrób mi przyjemność i pocałuj mnie w pupę.

Bóg, honor, ojczyzna i śmierć dewiantom seksualnym dźwięczą w jednym uchu Zwyrola, w drugim zaś hipochondryczna homofobia szepcze mu, żeby uważać, nie dziabać, krwi nie puszczać, żeby się hifskiem nie zbrukać, Zwyrol nie ma broni na takie dictum; jak mógł tego wcześniej nie zauważyć, tyle lat kroił frajerów z gejem, tyle razy pili z jednej butelki, tyle razy te same komary ich rypały... Jest poważnie spanikowany, ręce mu opadły; Piękniś wykorzystuje tę chwilę i daje strzałę między osiłkami. Nikt rozsądny nawet nie próbowałby go gonić. Stoją i przyglądają się, jak znika.

– Spierdala jak Zatopek – szemrze starszawy prze-
chodzień.
– Co to jest zatopek? – chcą wiedzieć młodsi.

Za miastem autobus pustoszeje, z tyłu nierozmowni
robotnicy zmęczeni fabryczną zmianą, z przodu Skrzyposzkowo z Bartoszkową i Konopcyno na dokładkę, tym
razem milczą, nagadają się później, na razie patrzą sobie łypią spozierają, jak Adam z Pięknisiem razem jadą,
torby wiozą, a dłonie ich dotykają się zbyt często, żeby
móc to wziąć za przypadek; a więc prawda, co ludzie
mówili, teraz to i kury o wszystkim rozgdaczą, psy roz-
szczekają, koty rozmiauczą, w ciągu godziny cała wieś
się dowie, kto z kim przyjechał, i zechce się wywiedzieć,
po co i na jak długo.
– Bo co w mieście uchodzi, to na wsi nie przejdzie
– pierwsza przerywa milczenie Skrzyposzkowo, nie wiadomo do kogo, ale tak, żeby słyszał, kto trzeba:
– A pewnie, miasto jest miasto, a wieś to wieś –
podchwytuje Konopcyno i patrzy wymownie na tych, co
trzeba.
– Niech się nikomu nie wydaje, że se na wieś
przywiezie miastowe obyczaje – rymuje niechcący,
ale na temat Bartoszkowo, tak żeby dotarło, do kogo
trzeba.
– A zamknijta sie, baby, i dejta ludziom spokój, do
pioruna! – jak nie wrzaśnie kierowca, ostatnio drażliwy,
bo rozwód mu się ciągnie jak smród po gaciach. I Skrzy-
poszkowej, która jak zwykle za jego plecami ustawiona,

napis na ścianie szoferki pokazuje, a napisane jest, że kierowcy przeszkadzać w trakcie prowadzenia pojazdu nie wolno. – Czytać umieta? To wiśta-wio na miejsce dla pasażera przeznaczone. I nie gderać mi za plecami, bo w polu wysadze.

Do ostatniego przystanku jest już cicho, choć się w babach aż gotuje, kiedy kierowca pod sam dom Adamowych rodziców podjeżdża, nadplanowo.

– Żebyśta, chłopoki, tyle dźwigać nie musieli

I jeszcze chłopcom macha na pożegnanie, a co, niech stare kwoki zbuki ze złości zniosą; kierowca jest tak poharatany nieszczęsnym małżeństwem z kobietą katastrofalną, że jakby miał drugi raz wybierać, też by się wolał z chłopem związać, wiedzą, co robią, ci homo, mądrze myślą, myśli i zawraca na właściwy przystanek. Owóż Adam i Piękniś stają u furtki i mają zamiar ją przekroczyć, nie porzucając nadziei.

W domu akurat rosół spóźniony, bo roboty dziś dużo było; Ojciec je i mówi, Matka się przysłuchuje, choć temat już jej obmierzł, od ostatniej wizyty u syna Ojciec wciąż nie może po prostu o sianiu, pogodzie czy koniach, zawsze jakoś pogardliwie nawiąże do tego-co--się-stało:

– Że też u zwierzyny to się nie zdarza, nie widziałem, żeby koń na konia wskakiwoł, zamiast na kobyłę. Jo tego pojąć ni moge. Ale rosołek dobry, dołóżże mi.

Dokładka w chochli zamiera w pół drogi do talerza, bo oto goście niespodziewani w drzwiach stoją, syn jednorodzony i partner jego, tym razem ubrany, prosto i elegancko, w bluzę i spodnie po mistrzowsku na zawodach wytańczone.

– Won mi stąd – mówi Ojciec na dzień dobry, wstaje i wskazuje ręką drzwi. – Spieprzać, obydwaj, ale to już. To jest m ó j dom.

I już byłby złapał syna za nadgarstek i siłą wyprowadził, jak w dawnych dobrych czasach, w których nie działo się nic, czego by chłopski rozum objąć nie zdołał – ale przegub Adama jest obecnie zajęty, Piękniś go trzyma za dłoń i sił dodaje; choćby się Ojciec nie wiadomo jak rozjuszył, Adam nie ustąpi, póki nie dostanie tego, po co przyszedł:

– W takim razie poproszę o klucze do m o j e g o domu.

Ojciec staje przed nimi i patrzy Adamowi prosto w oczy, jakby go samym wzrokiem chciał za drzwi wypchnąć, dotąd syn nigdy tej próby spojrzenia nie wytrzymał, zawsze kornie spuszczał głowę, nawet kiedy próbował zaprotestować, nie śmiał Ojcu w oczy niczego powiedzieć, męskie to, chłopskie spojrzenie na surowo podane było nie do wytrzymania, teraz jednak Adam, choć oczy go rozbolały, choć je zmrużył zamrugał, wciąż wytrzymuje, nie ustępuje ojcowskiemu spojrzeniu, choć wzrok to tępy wsiocki zaciekły i żadnych śladów szansy na zrozumienie w nim ni ma, spojrzenie to zajadłe i bazyliszkowe, twarde i tak nienawistne, że Adamowi na śmiech się zbiera, Ojciec tak strasznie chce być straszny, że groteskowy się staje, balon wrogości przesadnie się nadął, Adam nie może powstrzymać uśmiechu, to nie

jest uśmieszek złośliwy, tylko zdziwienie, że tak łatwo
groza żałośnieje, to jest uśmiech radosny, bo po raz
pierwszy można powiedzieć głośno i wyraźnie to, na co
się przez całe życie czekało; tak łatwo to przychodzi,
kiedy Piękniś trzyma za rękę:

— Już się ciebie nie boję, tato.

14

Światło w sypialni jest zapalone, Żona stoi przy łóżku i patrzy na Roberta, powoli dociera do niej, co się dzieje, co ją zbudziło: Robert coś szepcze, mruczy, usta w dziubek układa, wszystko to wydaje jej się nader obleśne; Żona ściąga z niego kołdrę, szarpie, Robert siada na łóżku i patrzy na nią zdezorientowany.

– Mówiłeś przez sen.

Robert rozgląda się po sypialni; gdzież to się znalazł, co to za kobieta, o co tu w ogóle chodzi, dlaczego jest środek nocy.

– Mówiłeś przez s e n – powtarza Żona, jakby mu bezspornie dowiodła zbrodnię z premedytacją popełnioną, jakby ostatecznie ogłaszała go kłamcą lustracyjnym, jakby mu odczytywała bezlitosny wyrok ławników, jakby od dziś jego nazwisko w gazetach miało mieć tylko jedną literę; czy oskarżony ma coś do powiedzenia na swoją obronę?

– Rzeczywiście, śniło mi się coś.

– Przecież nigdy nic ci się nie śni.

– No właśnie, sam się dziwię.

– Możesz mi powiedzieć, kto ci się przyśnił?

Robertowi przyśniła się pani, która niczego od niego nie wymagała. Z którą pił z jednego kubeczka, jadł z jednego talerzyka, spał w jednym łóżeczku, czuł ten sam słodki popłoch pod skórą i mówił jednym głosem. Z którą rozmowy były tak gęste i pożywne, że żal im było milczeć nawet, kiedy się kochali. Pani, którą chciałby mieć przy sobie, kiedy będzie umierał.

– Oczywiście, że ty – kłamie Robert. – Któż inny mógłby mi się śnić?

– Ja nie mam na imię Róża

– Widocznie śniłaś mi się jako inna kobieta.

Już pora. Zbliża się koniec światła. Słowem: ciału się wstało i myszkowało między wami, lat bez mała czterdzieści, dość było czasu na marność i pożytek, teraz już pora zasnąć, nic więcej, wyścig dobiega końca, czas zająć ostatnie miejsce; Robert już je dla siebie znalazł. Poza domem. Dopakowuje torbę.

Żona krąży po domu, dotyka krzeseł, poręczy, wazonów, sprawdza, czy pozostają na swoich miejscach, czy aby nie straciły na krzesłowatości, poręczności i wazonowości; skoro Robert odzyskał sny, wszystko jest możliwe, dozwolone, nawet to, że Boga nie ma. Byłaby poskarżyła się mamie i ojcu, zwołaliby rodzinne konsylium celem ostatecznego przemówienia Robertowi do rozsądku, ale teraz inne zajmują ich sprawy, nie można Teściowi głowy zawracać, kiedy jacyś polityczni awanturnicy, jak ich nazywa, zagięli na niego parol. Teść chciałby wiedzieć, kto za tym stoi, komu zależało, żeby przekonać kilka z jego byłych sekretarek, że klepanie w tyłek i sadzanie na kolanach jak najbardziej podchodzi pod molestowanie seksualne, kto poprosił je, żeby koniecznie sobie przypomniały, na jakież to jeszcze niby--spontaniczne czynności powitalne mu przyzwalały i czy aby pewne są, że przyzwolenie to nie było w jakiś sposób wymuszone; Teść niczego sobie nie może zarzucić, ale partia już mu złożyła propozycję nie do odrzucenia: albo się zrzeknie immunitetu i oczyści z zarzutów, albo go dyscyplinarnie wykluczą. Niczego się nie zrzeknie, nie będą mu lewackie smarki tłumaczyć, jak się kobiety traktować powinno, za chwilę się okaże, że całowanie w rękę też molestacja, że kwiaty to łapówka, że komplementy to przemoc słowna – tak się bronić Teść próbuje w obliczu mediów i domowników, zwłaszcza zaś Teściowej, która tryumfalnie i wyniośle ciche dni kontynuuje, upadkowi kariery męża przypatrując się bez współczucia. Ojciec dobrodziej byłby z niej dumny. Jej osobisty udział w znalezieniu haka na najbardziej niezatapialnego przedstawiciela wrogiego ugrupowania trudno przecenić. Wystarczyło z prywatnego kajeciku męża spisać telefony praktykantek, stażystek i sekretarek, które przez jego biuro poselskie się w ostatnich latach przewinęły, wcale pokaźna to kolekcja. Teściowa raz tylko zwróciła mu w przeszłości uwagę, że nie musi trzymać numerów telefonów, z których, jak twierdzi, i tak od dawna nie korzysta; Teść raz tylko obiecał jej w odpowiedzi, że wyrzuci je podczas najbliższego porządkowania domowego biura; Teściowa jeden jedyny raz zaoferowała mu swoją pomoc w tych porządkach; Teść raz tylko, ze stanowczą uprzejmością, odparł, że sam sobie poradzi. No nie poradził sobie; Teściowa przekazała listę telefonów, całkiem zresztą anonimowo, dziennikarzom gazety, którą co prawda gardzi, jak ojciec dobrodziej przykazał, ale przecie cel uświęca środki, a cel był ze wszech miar szlachetny: skasować polityka, którego działań radyjko już dawno nie wspiera, a nawet z lekka je potępia, bo ugrupowanie jego na ścieżkach Prawdy pobłądziło, a przy okazji, jak to się mówi, odzyskać męża, niech sobie na stare lata ryby połowi, przed telewizorem posiedzi, puzzle poukłada; polityką to Teściowa sama chętnie się teraz zajmie, z Bożą i Madonny Licheńskiej pomocą.

Żona krąży, zagląda do gabineciku Roberta, widzi, jak walczy z zamkiem, który już dawno był do wymiany, będzie musiał torbę spiąć agrafkami.

– A cóż to? Znowu się gdzieś wybierasz?

– Na tamten świat.

– Myślisz, że jesteś dowcipny?

– Nie wiem, za to staram się być szczery.

Migreny i histerie, nie nadchodźcie jeszcze, bo oto piękny okaz prawdziwie kobiecego gniewu kiełkuje, pąki puszcza, pełną piersią powietrza nabiera i z impetem donośnym wyładuje się wprost w Roberta:

– O czym ty mówisz?! Co się z tobą dzieje ostatnio?! Znikasz gdzieś, nawet mnie nie pytając o zdanie, teraz znowu walizkę pakowaną widzę, wytłumacz mi, o co ci chodzi?!

– Odchodzę.

– Ty? Ty... Ty debilu!! Odchodzisz?! Se tak myślisz, że tak se możesz odejść?! Wziąć manatki i się wynieść? Uważasz, że na to zasłużyłam?!

– Nie mówię, że odchodzę od ciebie. Jak by ci to wytłumaczyć: odchodzę od was wszystkich, całkiem, znikam, po prostu.

– Po prostu?! Co ty do mnie mówisz?! Ty jesteś nie-normalny!! Ciebie trzeba leczyć!!

– Niestety, na to już jest za późno.

– Ty draniu!! Ty durniu!! Ty... grafomanie!!!

– Niejeden by ci przyklasnął, ale to już niczego nie zmieni. Widzisz, ja odkładałem tę chwilę od lat, mówi-łem sobie – w przyszłym tygodniu, najdalej za miesiąc spakuję się i wyniosę, zacznę inaczej żyć; i tak przekła-dałem to swoje życie z dnia na dzień. No skończyło się. Teraz będziesz musiała nauczyć się żyć beze mnie.

– To się tak nie skończy!! Nie masz prawa!! Jestem twoją żoną!!

– To prawda, kilka lat temu wziąłem sobie ciebie za... kogoś innego.

Robert dopina torbę i mija osłupiałą Żonę, kieru-jąc się w stronę wyjścia. Lecz już na schodach wrzask go dogania i płacz i zgrzytanie zębami; Żona próbuje go złapać, ale odepchnięta (stanowczo, ale uprzejmie, wreszcie się nauczył) pada na ziemię i odgrywa atak padaczki, Robert wie, że nie wolno mu na to zwracać uwagi, Żona nie pozwala mu się oddalić, chwyta go za nogawkę i daje się ciągnąć, bo Robert niewzruszony zmierza w stronę salonu, wolałby, żeby przynajmniej tam ominęła go przeprawa; nic z tego, Teściowa zwabiona krzykiem przybiega i widzi, jak jej córka uczepiona nogi męża zsuwa się za nim po schodach, Robert się wyswobadza, ale Żona ściąga mu but i woła do Teściowej, żeby nie pozwoliła mu przejść; Teściowa zastawia drogę, Robert musi się przepychać, traci siły, Żona znowu go dopada, wszyscy troje przewracają się na ziemię i kłębią piszczą jęczą parskają. Teść wchodzi do salonu poważnie otumaniony alkoholem i środkami uspokajającymi; czuje, że najlepiej byłoby pociąć na kawałki to kłębowisko żmij, tę rodzinną grupę Laokoona, zdejmuje ze ściany reprezentacyjną sarmacką karabelę, podkręca wąsa i w imię boże ciąć zaczyna powietrze, Teściowa odpuszcza Robertowi i próbuje zapobiec tragedii, błaga męża o opamiętanie, Teść jednakowoż zbyt się już zapalił do fechtunku, ma poważnego pypcia na szermierkę, musi coś natychmiast uciąć, Teściowa jest zdania, że powinien sobie uciąć drzemkę, ale Teść woli zacząć od świec, foteli, krzeseł, obrazów; tnie, co mu się nawinie. Teściowa wniebogłosy o litość dla pamiątek rodzinnych zaklina; Żona wpada w stupor z mokasynem w ręku; Robert o jednym bucie bierze nogi za pas. Nie ma daleko; Róża już czeka pod domem, na włączonym silniku.

Niech sobie chwilę pożyją razem, nie spieszmy się. Krótko i szczęśliwie. Bo potem i tak.

Robert już nie chce. Prosi Różę, żeby zadzwoniła po Pannę Zwiewną, a potem niech usiądzie przy nim na łóżku i trzyma go za rękę. Do samego końca. Kiedy wszystko się tak płynnie i bezboleśnie przeniesie do jego dziecięcego pokoju. Mama właśnie pocałowała go na dobranoc, choć wcale nie chce mu się spać tuż po Wieczorynce. Dlaczego inni mogą o tej porze oglądać telewizję, a on ma przytulić zajączka i zasnąć na komendę. Sam w pustym pokoju. Nie chce nie chce nie chce. Gdyby tak można było zamknąć oczy, otworzyć je i od razu zobaczyć poranne światło, znowu mieć dzień do dyspozycji, gry, resoraki, huśtawki i zjeżdżalnie. Nie gaście jeszcze światła. Czy ktoś tu jest?

Hej, życie! Chyba nie zostawisz mnie samego?

15

Róża wychodzi z budynku teatru, grupka wielbicieli prosi ją o autografy, jakiś młody mężczyzna wręcza jej bukiet kwiatów; radosna idzie dalej ulicą, mija gmach sądu i uchylone okienko sutereny, w której ukształtował się światopodgląd Roberta; któż tam teraz przebywa, jakiś smutny pan, przestawił sobie biurko tak, żeby siedzieć tyłem do okna, wygląda na zapracowanego.

Pan Mąż daje właśnie napiwek pokalanej panience, może sobie na to pozwolić, znowu mu się zgadzają bilanse.

Piękniś przybija tabliczkę z numerem na domu Adama; Adam pyta Matkę, która im właśnie przyniosła kanapki, czy Ojciec już wyszedł z zastanawialni, w której się zamknął na znak protestu; Matka kręci głową, ale twierdzi, że już z nią zaczął rozmawiać i wszystko wskazuje na to, że niedługo mu przejdzie.

Teściowa udziela pierwszego w życiu wywiadu jako samodzielny polityk i jest bardzo niezadowolona, że zamiast o jej program, pytają ją o męża; Teść w tym czasie sprawdza, ile razy w ciągu ostatniej doby jego nazwisko pojawiło się w internecie, i wścieka się, że aż tyle, bo to za sprawą jego żony.

Żona pod opieką Psychiatry wyjątkowo sprawnie dochodzi do siebie, zwłaszcza od kiedy jej wytłumaczył, że ludzie tak naprawdę mogą mieszkać tylko w innych ludziach, depresja to nic innego, jak bezdomność, na depresję cierpią ludzie, którzy nie mają w kim mieszkać, a potem zaproponował, że otworzy przed nią swoje drzwi.

Robert patrzy łapczywie; wciąż jeszcze nie przywykł, że może widzieć wszystko jednocześnie.

Chorzów 2005–2008, Krems–Stein 2008

Dziękuję z całego serca tym, bez których nie wydobyłbym się z senności:

Urszuli Kuczok za nadzór i chwałę Matczyzny,

Radosławowi Kobierskiemu za światopodgląd i całą resztę,

Wolfgangowi Kuhnowi za pokój 22,

Grzegorzowi Olszańskiemu za twórcze degustacje,

Magdalenie Piekorz za myślenie fotogeniczne i współpracę bezcenną,

Karinie Przewłoce za pierwsze redakcje i współpracę bezecną

i panu Krzysztofowi Zanussiemu za pierwsze tchnienie.

Wojciech Kuczok

Polecamy książki Wojciecha Kuczoka

Przejmująca historia traumatycznego dzieciństwa, a także opowieść o pewnej rodzinie i pewnym domu w jednym ze śląskich miast. Debiutancka powieść prozaika i poety Wojciecha Kuczoka jest przenikliwym studium przyczyn i skutków przemocy, pełnym wewnętrznej prawdy, przesyconym goryczą, portretującym bohaterów ostro, wyraziście – tak bardzo różnym od częstych w literaturze sielankowych opisów młodości. *Gnój* stał się źródłem inspiracji dla scenariusza filmu *Pręgi* w reżyserii Magdaleny Piekorz.

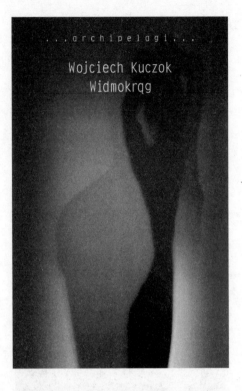

...archipelagi...

Wojciech Kuczok
Widmokrąg

Wspólne wszystkim opowieściom zebranym w tomie *Widmokrąg* jest przekonanie, że choć my nie możemy obejść się bez miłości, ona może obejść się bez nas, i dlatego jest silniejsza od śmierci. Również z tego powodu opowiadane tutaj historie, zrazu realistyczne, stopniowo nabierają nastroju tajemniczości, groteski i grozy, a bohaterowie zaczynają przypominać widma. W tym nierzeczywistym świecie realna pozostaje tylko miłość. Każde z opowiadań kreśli przenikliwy i sugestywny portret psychologiczny, każde obdarzone jest własnym rytmem, nastrojem i poetyką.

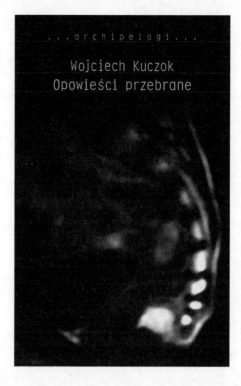

...archipelagi...

Wojciech Kuczok
Opowieści przebrane

Mroczne historie skrywane pod pozorem rodzinnego szczęścia. Wciąż powracające lęki z dzieciństwa. Zderzenie powagi z groteską, miłości ze śmiercią, poezji z prozą – opowiadania Kuczoka pełne są gwałtownych emocji, bohaterowie balansują pomiędzy rzeczywistością a sennym koszmarem. Kuczok – dzięki swej wrażliwości i zmysłowi obserwacji – odnajduje treści intrygujące i dalekie od banału w banalnych emocjach i sytuacjach. *Opowieści przebrane* to zbiór wczesnych opowiadań Wojciecha Kuczoka z tomów *Opowieści słychane* i *Szkieleciarki* – przypominają, jak kształtowały się, nabierały ostrości obrazy i tematy, które później tak silnie poruszały czytelników uhonorowanego Nagrodą NIKE *Gnoju* oraz *Widmokręgu*.

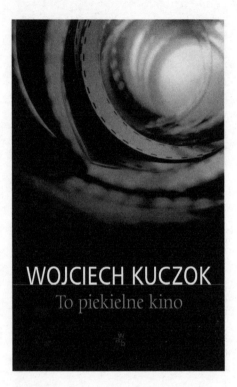

WOJCIECH KUCZOK
To piekielne kino

„Można mieć nadzieję, że podobnie jak w muzyce, definitywnie wy-
odrębni się kino popularne i kino poważne, klasyczne – ograniczone
jedynie wewnętrzną cenzurą twórcy, w którym w imię Prawdy o człowieku dozwolone będzie przekraczanie granic tradycji i przyzwycza-
jeń, dozwolone będzie szaleństwo i nieprzyzwoitość w obrębie Dzieła
Sztuki". *To piekielne kino* Kuczok poświęca właśnie temu drugiemu ro-
dzajowi twórczości filmowej. Analizuje tu dzieła często przez krytyków pomijane, budzące kontrowersje, obyczajowo „wyklęte", ponie-
waż mierzą się ze współczesnymi tabu: złem i umieraniem. Książka za-
interesuje nie tylko miłośników filmu, ale także tych, którzy spragnieni
są dyskusji nad zjawiskami społecznie „przemilczanymi".

Książki oraz bezpłatny katalog
Wydawnictwa W.A.B.
można zamówić pod adresem:
02-502 Warszawa, ul. Łowicka 31
tel./fax (22) 646 01 74, 646 01 75, 646 05 10, 646 05 11
e-mail: wab@wab.com.pl
www.wab.com.pl

Redakcja: Marianna Sokołowska
Korekta: Magdalena Stajewska, Anna Hegman
Redakcja techniczna: Alek Radomski

Projekt okładki i stron tytułowych: Magdalena Bartkiewicz-Podgórska
Na I stronie okładki: Małgorzata Kożuchowska. Fotografia z filmu
Senność © Agata Stoińska
Fotografia autora: © Agata Stoińska

Wydawnictwo W.A.B.
02-502 Warszawa, ul. Łowicka 31
tel./fax (22) 646 01 74, 646 01 75, 646 05 10, 646 05 11
wab@wab.com.pl
www.wab.com.pl

Druk i oprawa: Drukarnia Wydawnicza im. W.L. Anczyca S.A., Kraków

ISBN 978-83-7414-486-5